PRISIONEIRAS

Obras do autor
publicadas pela Companhia das Letras

Borboletas da alma
Carcereiros
Correr
De braços para o alto
Estação Carandiru
O exercício da incerteza
O médico doente
Nas águas do rio Negro
Nas ruas do Brás
Palavra de médico
Por um fio
Primeiros socorros
A saúde dos planos de saúde
A teoria das janelas quebradas

DRAUZIO VARELLA

Prisioneiras

4ª reimpressão

Copyright © 2017 by Drauzio Varella

Grafia atualizada segundo o Acordo Ortográfico da Língua Portuguesa de 1990, que entrou em vigor no Brasil em 2009.

Capa
Christiano Menezes/ Retina_78

Fotos de capa e miolo
Rodrigo Marcondes/ Garapa

Preparação
Ciça Caropreso

Revisão
Jane Pessoa
Fernando Nuno

Dados Internacionais de Catalogação na Publicação (CIP)
(Câmara Brasileira do Livro, SP, Brasil)

Varella, Drauzio
 Prisioneiras / Drauzio Varella. — 1ª ed. — São Paulo : Companhia das Letras, 2017.

 ISBN 978-85-359-2904-1

 1. Penitenciária do Estado (São Paulo) 2. Prisões – Brasil 3. Prisioneiras – Cuidados médicos 4. Prisioneiras – São Paulo (Estado) I. Título.

17-03640   CDD-356.66

Índice para catálogo sistemático:
1. Prisioneiras : Assistência : Problemas sociais 356.66

Todos os direitos desta edição reservados à
EDITORA SCHWARCZ S.A.
Rua Bandeira Paulista, 702, cj. 32
04532-002 — São Paulo — SP
Telefone (11) 3707-3500
www.companhiadasletras.com.br
www.blogdacompanhia.com.br
facebook.com/companhiadasletras
instagram.com/companhiadasletras
twitter.com/cialetras

Sumário

Apresentação, 7

A chegada, 11
A hierarquia, 19
Gaiolas, galerias e celas, 21
Gritaria infernal, 26
Santíssima inocência, 30
Solidão, 38
Os filhos, 45
Multiparidade, 50
Álcool, maconha e cocaína, 55
Questão de moral, 66
Graças a Deus, 73
O trabalho, 78
Informalidade, 87
Custo de vida, 95
Agentes penitenciárias, 100

Valdemar Gonçalves, 108
O relógio, 115
O Comando, 120
O Comando da Feminina, 126
As Ideia, a Torre e o Supremo Tribunal, 130
Cadeias comandadas, 135
Violência e confinamento, 143
Sapatões, 148
Entendidas, 156
Violência sexual, 167
Lu Baiana, 174
Valdê, 177
Mariazinha da 45, 181
Obsessão fatal, 187
Vozes demoníacas, 193
As pontes, 199
Em nome da lei, 206
Presente de Natal, 210
Precocidade, 216
Tia Maluca, 220
Vavá, 224
O amor de Marilisa, 231
Nica, 237
Celas especiais, 246
Chininha, 252

Epílogo, 259

Apresentação

Prisioneiras é o último livro de uma trilogia.

O primeiro, *Estação Carandiru*, publicado em 1999, foi o resultado dos dez primeiros anos em que trabalhei como médico voluntário na Casa de Detenção de São Paulo. A primeira ideia não era escrever um livro, mas criar uma coluna policial para o *Notícias Populares* — jornal de grande circulação na época — em que eu pudesse contar as histórias que ouvia na cadeia.

Ao iniciá-las, me deparei com a dificuldade de falar sobre um presídio com mais de 7 mil detentos para leitores que não tinham a menor ideia das instalações. Como contar casos que se passavam nos sete pavilhões sem precisar descrevê-los todas as vezes?

Para sair do impasse, achei melhor preparar uma descrição detalhada das principais características de cada um, para ter à mão um texto-base ao qual pudesse recorrer conforme a narrativa exigisse. Embora frequentasse semanalmente a cadeia havia sete anos, voltei aos pavilhões com o olhar de escritor.

Nas visitas percebi que a arquitetura e as divisões internas dos prédios eram inseparáveis das interações antropológicas entre os que cumpriam penas no interior deles. A pretensão de apresentar ao leitor as instalações da cadeia, os prisioneiros, seus costumes, códigos de comportamento e suas histórias de vida transcendia o espaço disponível nas colunas jornalísticas.

Estação Carandiru foi lançado numa quarta-feira. Quando abri os jornais no sábado, tomei um choque: estava nas primeiras páginas e nos cadernos de cultura de maior circulação do país; nos dias seguintes vários colunistas escreveram sobre o livro. Jamais imaginei tamanha repercussão; deu até um pouco de medo.

O livro não me trouxe ilusões literárias. Sempre estive consciente de que seu mérito foi levar para fora das muralhas a vida que pulsava naquele microcosmos.

Estação Carandiru foi traduzido em várias línguas e adaptado para o cinema e a televisão por Hector Babenco, amigo querido que se retirou, deixando muitas saudades. Deu origem, ainda, a um espetáculo teatral e a uma versão radiofônica na BBC.

Naqueles dias, ao sair da cadeia depois do atendimento, criei a rotina de me encontrar com os agentes penitenciários que terminavam o expediente, para uma cerveja num dos bares das redondezas, ocasiões imperdíveis para ouvir histórias do mundo do crime e dar risada das besteiras ditas sob a influência do álcool.

Quando cheguei ao Carandiru, eles me tratavam com respeito e a devida distância. Desconfiados, mudavam de assunto quando eu me aproximava, tergiversavam e davam respostas evasivas às minhas curiosidades. Com ar de ingenuidade, perguntavam se eu pertencia a alguma associação de defesa dos direitos humanos, igreja evangélica ou se tinha a pretensão de me candidatar a deputado.

Levou tempo para se acostumarem com minha presença. Mais tempo ainda para confiarem a mim os pecados cometidos no exercício da profissão.

Receoso de perdermos o convívio quando o Carandiru foi implodido, propus que continuássemos a nos reunir nos bares da Zona Norte e do centro da cidade a cada duas ou três semanas, rotina que procuramos manter até hoje. Nessa convivência, ganhei amigos verdadeiros e tive a ideia de escrever *Carcereiros*, o segundo livro da trilogia, publicado em 2012, treze anos depois de *Estação Carandiru*. *Carcereiros* está sendo adaptado para a televisão pela TV Globo.

Depois da implosão do Carandiru, passei a atender os detentos da Penitenciária do Estado, que na época albergava 3 mil homens. O trabalho durou pouco mais de três anos, até a penitenciária ser transformada no presídio feminino, onde sou médico voluntário desde 2006.

Este livro é uma espécie de *Estação Carandiru* de uma prisão com mais de 2 mil mulheres. Nele procuro apresentar um pouco do que vi, escutei e pude aprender nestes onze anos na Penitenciária Feminina da Capital.

Prisioneiras completa a trilogia de uma experiência iniciada há 28 anos.

A chegada

— Seja bem-vindo à casa das doidas, doutor.

Com essas palavras fui recebido pelo funcionário atarracado que me abriu o portão de ferro sob o pórtico que dá acesso aos jardins da Penitenciária do Estado, construída como prisão-modelo nos anos 1920, pelo arquiteto Ramos de Azevedo, o mesmo que projetou o Teatro Municipal de São Paulo, obra-prima da arquitetura paulistana do início do século xx.

Segui pelo caminho de asfalto margeado por pinheiros e sibipirunas centenárias que projetam um sombreado generoso à passagem do visitante. Chegando ao presídio, à esquerda, um taquaral cerrado, com bambus amarelos de mais de vinte metros de altura; à direita, três policiais militares conversavam junto às portas abertas de uma viatura. À minha frente, a muralha com as guaritas de vigia e o portão cinza de madeira maciça com mais de um palmo de espessura, suficientemente largo para dar passagem aos caminhões de entrega, alto, majestoso como o das fortalezas medievais. Na parede acima dele, gravado em letras pretas: "Instituto de Regeneração".

Sambista, funcionário que eu havia conhecido nos tempos do antigo Carandiru, abriu a pequena porta que dá passagem aos transeuntes, encravada no portão monumental, e me estendeu a mão, sorridente:

— Firmeza, doutor? Com nós outra vez?

Atravessei a portaria, cumprimentei a funcionária do guichê aberto à direita e me dirigi à gaiola gradeada que dá acesso ao pátio interno.

No pátio amplo, doze palmeiras-imperiais contra o céu — duas delas tão imponentes quanto as mais altas do Jardim Botânico do Rio de Janeiro — e um jardim de cada lado com azaleias e roseiras floridas, ambos cercados com tela de arame para conter os patos barulhentos criados em seu interior. À minha frente, o prédio da administração, acessível por duas escadarias laterais que se unem num terraço de entrada. No frontispício, os dizeres gravados há quase um século: "Aqui, o trabalho, a disciplina e a bondade resgatam a falta cometida e reconduzem o homem à comunhão social".

No centro, sob as escadas e o terraço, um portão gradeado dá acesso à galeria central que atravessa e divide a penitenciária em duas metades. A três metros dele, outro portão forma uma nova gaiola. Entre os dois, uma sala de controle gradeada, com duas funcionárias em escrivaninhas da metade do século passado e computadores quase da mesma época ligados a um emaranhado selvagem de fios. Na parede, uma tábua larga com uma dúzia de algemas penduradas.

Ao lado dessa sala, há dois corredores. O que fica à esquerda de quem entra leva à enfermaria e às celas de inclusão, parada obrigatória das presas recém-chegadas enquanto aguardam a distribuição pelos pavilhões. O do lado oposto conduz à cozinha industrial, ampla e espaçosa, que parece um formigueiro de mulheres de calça laranja e touca branca.

Seguindo em frente e em linha reta pela galeria central, até o fundo da cadeia, há que atravessar as gaiolas de entrada do Primeiro, Segundo e Terceiro Pavilhão.

Eu conhecia bem o ambiente. Depois da implosão do Carandiru, havia trabalhado lá como voluntário durante três anos, até a Penitenciária do Estado deixar de ser a cadeia masculina que historicamente foi. Saí quando começaram a transferir os presos para dar lugar às mulheres que superlotavam as prisões femininas existentes no estado.

Já tinha vivido a experiência da desativação do Carandiru. Nada mais deprimente do que o silêncio, o eco das portas de ferro nas galerias desertas, um ou outro detento contemplativo à porta da cela, guardas ensimesmados na cadeira ao pé da gaiola. O vai pra lá e pra cá, o entra e sai dos xadrezes, o passa-passa agitado é o que dá vida às cadeias; sem esse movimento constante desde a abertura, às oito da manhã, até a tranca no fim da tarde, a atmosfera é tomada pela melancolia das horas que se arrastam. Quando a noite cai, o ambiente é o de um casarão mal-assombrado.

Logo à esquerda, antes da grade de acesso aos pavilhões, a sala de atendimento estava lotada. Numa mesinha, o funcionário Valdemar Gonçalves, que me acompanha desde os tempos do Carandiru, colocava em ordem os prontuários médicos e distribuía senhas de atendimento às prisioneiras, vestidas de calça cáqui e camiseta branca. Uma cortininha fazia a separação entre a sala de espera e o consultório, que não passava de um compartimento espremido, sem janela, com uma mesa de plástico, duas cadeiras do mesmo material e a maca para exame ginecológico.

Os problemas de saúde eram muito diferentes daqueles que eu havia enfrentado nas prisões masculinas. Em vez das feridas mal cicatrizadas, sarna, furúnculos, tuberculose, micoses e as infecções respiratórias dos homens, elas se queixavam de cefaleia, dores na coluna, depressão, crises de pânico, afecções ginecológicas, acne, obesidade, irregularidades menstruais, hipertensão arterial, diabetes, suspeita de gravidez. Afastado da ginecologia desde os tempos de estudante, eu não estava à altura daquelas necessidades.

O falatório ininterrupto na sala de espera era de atordoar. Por duas vezes precisei interromper a consulta e abrir a cortina para explicar que não conseguia auscultar os pulmões nem medir a pressão de ninguém no meio daquela balbúrdia, advertência jamais necessária em presídios masculinos.

Num aspecto, entretanto, as duas experiências se assemelhavam: o grande número de doentes à espera, realidade que torna impossível dedicar muito tempo à mesma pessoa, tarefa especialmente árdua no caso das poliqueixosas. Com a sala de espera apinhada, é impossível resolver os problemas de alguém que diz sofrer de "agulhadas pelo corpo inteiro, problema de tireoide, bronquite, prisão de ventre, enjoo, falta de apetite, dor nos rins, pressão alta, bexiga caída e sistema nervoso" — queixas que me foram apresentadas, exatamente nessa ordem, por uma senhora de cabelo comprido à moda evangélica, presa na divisa do Paraná com vinte quilos de maconha no fundo falso do porta-malas do carro do marido, que desconhecia as atividades ilícitas da esposa. Ou satisfazer às expectativas de uma jovem de aparência saudável que alegava ter vindo à consulta com o objetivo de "fazer todos os exames".

Quando já havia consultado perto de vinte pacientes, outras tantas para ser atendidas, uma gritaria assustadora ecoou pela galeria.

É preciso ter sangue-frio nessas horas. A mais insignificante demonstração de insegurança ou nervosismo pode ser interpretada como covardia e jogar por terra uma reputação construída no decorrer de muitos anos. Permanecer impassível, quando o impulso natural é fugir de medo, exige autocontrole e experiência prévia.

Levantei e abri a cortininha do consultório no exato instante em que o tropel invadiu a sala de espera aos gritos de sai da frente, sai da frente. No meio da confusão, vi uma loira miúda com o rosto e o cabelo ensanguentados carregada por duas mulheres que a seguravam pelos braços e por outras duas que lhe sustentavam as pernas, enquanto uma negra forte de calça justa e seios fartos amparava a cabeça desfalecida.

Só consegui que a moça chegasse à maca do consultório quando gritei para que abrissem caminho e parassem com o escândalo.

Disseram que se chamava Marcinha. Tentei despertá-la repetindo seu nome junto ao ouvido. Não respondia, mas não parecia desacordada, tinha o pulso cheio, os batimentos cardíacos em ritmo normal e as pálpebras trêmulas e resistentes quando eu forçava a abertura dos olhos.

Molhei um pano para enxugar o sangue e identificar a fonte do sangramento. Todas se afastaram, menos a negra forte, Janaína, que permaneceu aflita à cabeceira da maca, balbuciando palavras indecifráveis em ritmo de oração religiosa.

Imaginei que a hemorragia viesse do couro cabeludo, região muito vascularizada, capaz de espalhar sangue pelo corpo inteiro, mas nada encontrei. Com delicadeza, acabei de limpar a face: nenhum ferimento.

Só então percebi que a mão direita tinha diversos cortes, pequenos e superficiais:

— Ela esfregou a mão no rosto? — perguntei a Janaína.

— Acho que sim — respondeu —, nós tivemos um desentendimento.

Com os olhos marejados, debruçou-se sobre a maca, beijou a testa e acariciou o rosto de Marcinha, a quem chamou de minha lindinha, meu bichinho do mato e amorzinho do meu querer.

Quando comecei o curativo, a loirinha abriu os olhos com ares de quem despertou em Alfa Centauro, olhou para a mão e depois para a namorada como a pedir explicação:

— O doutor vai resolver, foi um machucadinho de nada — disse Janaína.

Saíram da sala abraçadas, Janaína amparando o amorzinho do seu querer, que andava com passos firmes, prontamente restabelecida.

Fui lavar as mãos na pia. Quando voltei, uma das detentas que havia trazido a paciente desabou na cadeira em frente à minha:

— Ai! Agora eu é que preciso de médico. Estou à beira de um colapso de nervos.

Era Marise, magra e de rosto sardento envelhecido para os quarenta e poucos anos que deveria ter. Medi a pressão, contei o pulso, auscultei o coração e procurei tranquilizá-la.

Mais calma, ela se apresentou como a líder da cadeia, ligada à facção que dominava todos os presídios femininos de São Paulo e a maioria dos masculinos, condenada a 26 anos, conforme justificou:

— Por envolvimento em dois sequestros, entre outros beós mais leves.

Queixou-se de que estava exausta, não suportava mais tanto estresse.

— Tudo que acontece no pavilhão é comigo. Sou eu pra cá, eu pra lá, eu pra acolá o tempo inteiro. Ainda enlouqueço neste inferno. Cadeia foi feita pra homem, doutor, mulher não tem procedimento. Aqui elas brigam até por um lugar no varal pra pendurar a calcinha.

Não precisei insistir para que ela descrevesse com minúcias o conflito que acabara de ocorrer.

Marcinha e Janaína moravam na mesma cela. As brigas por ciúmes eram tantas que a mulata andava pela galeria de cabeça baixa:

— Para não atiçar a onça com vara curta.

Naquela tarde, Janaína estava sozinha, ocupada com a faxina

da cela, quando uma vizinha de seios tão exuberantes quanto os dela, cabelo vermelho e calça justa, entrou para pedir um sabão emprestado. Era Silvana, garota de programa dependente de cocaína, que fora presa por aplicar o conto do suador, modalidade na qual o cliente era chantageado e achacado em pleno ato sexual por um gigolô que se fazia passar por investigador de polícia.

Marcinha, que não mantinha relações propriamente cordiais com Silvana, apareceu como um raio na porta da cela.

— Tá querendo o que com a minha mulher, sua vagabunda? Já não avisei pra ficar longe dela?

Janaína tentou justificar a presença da vizinha, que se retirou incontinente. Falou do sabão, da falta de interesse pela outra, do amor que sentia pela namorada possessiva, mas foi de pouca valia. Pelo contrário, quanto mais Janaína explicava, pior, mais agitada ficava a companheira.

Num repente, a loirinha levantou o colchão da cama, colocou uma lâmina de barbear entre os dedos e avançou na direção de Janaína, muito mais forte do que ela.

— Vou te transfigurar, sua puta sem-vergonha. Quero ver que mulher vai olhar pra tua cara.

Entre as que se agruparam à porta do xadrez à espera do desenlace, dona Assunção do Bexiga, traficante de crack com diversas passagens, que meses mais tarde tratei de pneumonia, correu para chamar Marise, que conversava com uma amiga no pátio interno. Só ela para impedir o desfecho sangrento.

Na cela, a líder encontrou Marcinha furiosa, a desferir golpes de lâmina na direção do rosto da parceira, que os aparava com uma toalha de banho enrolada no braço.

— Para já com isso, maluca — Marise gritou com autoridade.

Foi como se tivesse falado com a parede. Repetiu a ordem diversas vezes, aos berros.

Convencida de que a agressora acabaria atingindo a outra, justamente numa semana em que havia recebido ordens da facção para manter o pavilhão em paz, Marise descalçou a sandália e começou a bater na mão que segurava a lâmina.

Quando Marcinha viu o sangue escorrer entre os dedos, apressou-se em espalhá-lo pelo rosto. Em seguida, caiu para trás como se tivesse perdido os sentidos.

A hierarquia

Cena como essa jamais teria ocorrido em cadeia de homens. Inimaginável um líder de pavilhão obrigado a desarmar um desafeto a sapatadas. Uma altercação entre dois presos deflagrada em momento impróprio acabaria no instante em que o chefe apontasse na galeria.

Em liberdade ou aprisionados, os homens são muito atentos à hierarquia: cumprem as ordens dos superiores com o mesmo rigor com que exigem obediência de seus subordinados. A restrição do espaço físico só ressalta a relevância dessa coerência.

Transmitido dos mais experientes aos principiantes, sem a necessidade de uma linha sequer por escrito, o código penal que rege a vida nas prisões não pode ficar sujeito ao contraditório das sociedades democráticas. A punição é aplicada de imediato com severidade draconiana, para servir de exemplo, impor disciplina e coibir a disseminação da barbárie. Nas leis do crime, o certo e o errado não deixam margem a dúvida — não existe zona cinzenta entre o preto e o branco.

Nas prisões femininas as leis são semelhantes, assim como a hierarquia é estabelecida pelo mesmo processo de competição e seleção natural, com a diferença de que o respeito a ela é mais frouxo. Quase por instinto de sobrevivência, a mulher é mais avessa à submissão aos superiores; desde criança aprende a subverter a ordem, de forma a moldá-la aos ensejos pessoais sem dar a impressão de rebeldia, se possível. Não fosse essa aversão ao domínio e a destreza em manipular a vaidade dos mais poderosos e dos defensores de interesses que as desagradam, ainda estariam confinadas ao lar, sem direito a voto e a ganhar a vida por conta própria.

A imposição de normas e as relações de mando, tão lineares entre homens presos, adquirem complexidade incomparável no caso das mulheres, porque as emoções entram em jogo com o mesmo peso da racionalidade. A líder aceitou a insubmissão de uma subalterna por ter reconhecido que a outra estava cega de ciúmes, portanto privada de discernimento. Um homem na mesma situação teria considerado ofensiva e contestadora tal atitude, portanto passível de punição exemplar.

Além do mais, um homem que em algum momento de crise confessasse estar à beira de um colapso nervoso jamais seria conduzido à liderança de um grupo de presidiários.

Essas reflexões, faço-as hoje, depois de onze anos de experiência na Penitenciária Feminina. Naquele primeiro dia de trabalho, contudo, fiquei tão desconcertado que comentei com uma das guardas da portaria:

— Preciso esquecer tudo o que aprendi nos meus dezessete anos em cadeias masculinas.

Gaiolas, galerias e celas

A penitenciária é uma construção de arquitetura simétrica. São três pavilhões cortados ao meio pela galeria central, que os divide em duas alas de celas: as pares e as ímpares. As paredes internas são caiadas de branco e azul-claro.

Quem chega pela galeria tem a passagem obstruída à entrada de cada pavilhão por dois portões gradeados interpostos na parte central, que formam uma gaiola guardada por funcionárias de calça jeans e camiseta polo preta, com as insígnias da Secretaria da Administração Penitenciária, uniforme de todas as guardas de presídio. Assim, para chegar à gaiola do Terceiro Pavilhão, no fundo, há que atravessar antes as do Primeiro e as do Segundo.

Em obediência a regras universais nas cadeias, os dois portões de cada gaiola jamais podem ser abertos ao mesmo tempo: passou pelo primeiro, é preciso esperar a abertura do segundo. Manifestações de impaciência são mal recebidas.

Nas gaiolas de entrada dos pavilhões, ao redor de uma mesinha, três ou quatro funcionárias abrem e fecham as portas, revistam as presas que entram e saem, vigiam o fluxo de transeuntes e dos carrinhos que distribuem as refeições, retiram o lixo e transportam os "jumbos" — as sacolas com mantimentos, refrigerantes e objetos pessoais enviadas pelas famílias ou encomendadas diretamente à administração com os recursos do pecúlio acumulado pelas presas que trabalham nas firmas e em funções internas.

Escavado no alto da parede atrás das mesinhas de cada um dos três pavilhões, há um nicho enfeitado com ramos de folhas e flores de plástico no centro do qual impera uma imagem de Nossa Senhora Aparecida de rosto negro, coroa na cabeça e manto azul triangular bordado de lantejoulas — a santa mais venerada nos presídios paulistas.

Nas laterais das gaiolas da galeria central, ficam os portões gradeados que levam às alas par e ímpar dos pavilhões, situadas respectivamente à esquerda e à direita de quem se dirige ao fundo.

A entrada de cada ala também é fechada por uma pequena gaiola, no interior da qual há um lance de escadas de cada lado que dá acesso ao posto das funcionárias encarregadas da segurança e às celas do primeiro andar.

O próprio posto é uma gaiola quadrada cujas grades são protegidas por uma tela de arame, para que as funcionárias fiquem fora do alcance das presas que circulam pelos andares do pavilhão. Em seu interior, há duas ou três guardas, uma mesa, cadeiras, um telefone preto daqueles de antigamente e alguns prontuários; na parede atrás da mesa, um quadro de madeira com molhos de chaves pendurados na ordem exata em que os cadeados das celas serão abertos às oito da manhã e trancados às cinco da tarde.

Cada pavilhão tem quatro andares de celas enfileiradas de um lado e do outro de uma ampla galeria interna, perpendicular à central. São quatrocentas celas em cada pavilhão, duzentas de cada lado. Com duas camas por cela, a capacidade total da penitenciária é de 2400 prisioneiras.

Em todos os andares, três passadiços de concreto ligam as celas dos dois lados da galeria interna, um deles construído na parte da frente, outro no meio e o terceiro no fundo do pavilhão.

Para desencorajar tentativas de suicídio e assassinatos, duas telas de arame grosso ficam estendidas em toda a extensão dos vãos entre o primeiro e o segundo e entre o terceiro e o quarto andares. Um corpo que porventura caia ficará obrigatoriamente retido na tela do andar de baixo.

As celas contêm duas camas de concreto, uma porta de madeira maciça dotada de um pequeno guichê com uma cortininha de pano, para a passagem do café da manhã e do jantar e para possibilitar o acesso visual às funcionárias encarregadas das contagens diárias, realizadas religiosamente antes de o dia clarear e depois da tranca das cinco da tarde. Na parede oposta à porta, há uma janela gradeada com vista para um pátio entre os pavilhões, na qual as mulheres improvisam varais pendurados para o lado de fora, a fim de secar camisetas, calças, roupas íntimas e os tapetinhos que forram o chão do xadrez "para não apanhar friagem nos pés".

O guichê da porta já deve estar aberto às seis horas para receber o café da manhã. Caprichosas, as presas estendem sobre ele toalhas tecidas com barbantes coloridos dotadas de dois bolsos que pendem do lado de fora para receber os pães, delicadeza feminina que contrasta com os sacos plásticos de supermercado pendurados para exercer a mesma função nos presídios masculinos.

No fundo da cela há um chuveiro junto ao vaso sanitário protegido por uma cortininha de plástico que lhe dá privacidade. Em tempos de racionamento, baldes e vasilhas armazenam água para o banho e as necessidades diárias. Em 2015, problemas técnicos com as caldeiras interromperam o fluxo de água quente do presídio. Apesar das queixas generalizadas e do inconveniente dos banhos frios no inverno, até o início de 2017 o problema não havia sido solucionado.

Dona Sebastiana, presa aos 68 anos, depois que a polícia invadiu sua casa, no Grajaú, em busca de três fuzis e uma metralhadora que dois rapazes da vizinhança guardavam no forro de sua casa em troca de quinhentos reais por mês, queixou-se com amargura:

— É uma desumanidade. Não só comigo, que já estou velha para passar frio, mas com essas mocinhas, que tomam banho gelado naqueles dias, com cólica.

O interior das celas é bem cuidado. Raro encontrar uma cama desarranjada, bagunça de roupas, sujeira ou objetos espalhados ao acaso. A ausência de xadrezes coletivos, como aqueles dos Centros de Detenção Provisória, que chegam a enjaular mais de vinte homens, ajuda a explicar a ordem, mas o gosto das mulheres por manter a casa limpa e bem-arrumada é a razão principal. Nas paredes, fotos de cantores populares, atrizes e atores das novelas e imagens dos familiares, com destaque para os filhos.

A primeira refeição do dia é servida com os cadeados ainda trancados, a partir das 5h45, por um grupo de "boieiras" que empurra os carrinhos contendo os sacos de pães e os recipientes térmicos com o café quente que vai encher as canecas deixadas no guichê.

Três vezes por semana, assim que termina a distribuição do café da manhã e as mulheres saem para o trabalho nas oficinas internas, as prisioneiras do setor de Faxina, com vassouras, rodos, baldes, água e sabão, lavam a galeria interna que separa as celas. Quando terminam, o chão brilha: "Não sobra um cisco", como disse Lurdona, uma faxineira de um metro e oitenta do Primeiro Pavilhão, exibindo com orgulho o resultado de seu trabalho.

São quatro refeições por dia: café da manhã, almoço, lanche da tarde e jantar, servidas nos mesmos carrinhos, pelas mesmas boieiras. As refeições chegam em quentinhas de alumínio preparadas e embaladas na cozinha industrial da penitenciária.

Entre os pavilhões, ficam os pátios externos, um do lado ímpar, outro do par, delimitados na frente pela galeria central, nos lados pelas paredes com janelas gradeadas dos dois pavilhões vizinhos, e ao fundo pela muralha com as guaritas de vigilância. No pátio as presas podem andar e pendurar em varais de corda as peças maiores: cobertores, tapetes e lençóis que acabaram de lavar. Um código de conduta as proíbe de tirar a camiseta ou a calça para expor o corpo ao sol.

Diversas firmas contratam presas para prestar serviços nas oficinas instaladas dentro da penitenciária. Às oito da manhã, assim que as celas são destrancadas, saem apenas as que vão trabalhar. Permanecem no pavilhão as escaladas para os diversos setores (faxina, entrega de refeições, consertos gerais etc.), as que lidam com a arrumação das celas, lavagem de roupa e os varais, as que ficam conversando na galeria e os casais de namoradas que passeiam no pátio a passos lentos, lado a lado, sem demonstrações físicas de intimidade.

Gritaria infernal

Se o silêncio é de ouro, como diz o povo, a penitenciária é uma Serra Pelada às avessas. Comparada a ela, feira de peixe é clausura de monges no Tibete.

São metálicos os primeiros sons matutinos: chaves que destravam cadeados, portas de ferro que batem e o ranger dos carrinhos das boieiras que distribuem o café de cela em cela.

O burburinho começa quando as portas já estão destrancadas e as prisioneiras saem para as tarefas diárias e o trabalho nas firmas. Em poucos minutos o vozerio ganha intensidade. Uma negra corpulenta, debruçada no parapeito do terceiro andar, fala com a baixinha de cabelo oxigenado no térreo, do lado oposto, que responde como se a interlocutora fosse surda.

Fazendo questão absoluta de ser ouvida, a presa encarregada do Setor da Saúde repete três vezes: "O doutor Drauzio chegou, quem está na lista desce". No meio da galeria, uma voz esganiçada repete o aviso; no fundo, um vozeirão faz o mesmo.

Uma berra daqui, a companheira do outro lado responde

no mesmo tom, outra grita palavras de ordem ininteligíveis, uma terceira não para de chamar uma tal de Vanessa, que ninguém sabe onde se meteu, alguém pergunta por Natália, que se esgoela para saber quem procura por ela, um sertanejo canta a traição da pérfida mulher no radinho, aparelho que entre elas recebe o nome de "consola corno". Todas falam ao mesmo tempo. Receosas de que Jesus não as escute no meio do pandemônio, uma roda de mulheres com véu branco na cabeça entoa cânticos evangélicos a plenos pulmões.

O barulho que vem de dentro e de fora dos xadrezes preenche o espaço e reverbera numa sonoridade espessa. De repente, um grito isolado sobressai na galeria, depois dele outro e mais outros, cada vez mais altos, como galos a anunciar a manhã, numa onda ensurdecedora que se espalha, atinge a intensidade máxima e decresce devagar até voltar aos decibéis do pano de fundo, quebrados inesperadamente por uma risada espalhafatosa.

Cinco da tarde, hora da tranca. Todas se agitam para entrar nas celas no horário, caso contrário enfrentam punições administrativas. Segundo o dr. Maurício Guarnieri, o diretor da penitenciária que conheço desde quando dirigiu o Carandiru, é a única arma para manter a disciplina da tranca:

— Se deixar por conta delas, passam a noite do lado de fora. Cadeia de mulher precisa de cuidado: se apertar demais espana, se soltar vira bagunça.

Os sons das portas que se fecham, dos cadeados e das rodas mal engraxadas dos carrinhos abarrotados de quentinhas que as boieiras trazem para o jantar repetem a sinfonia metálica do início da manhã, com a diferença de que a essa hora o falatório está a todo vapor. As portas trancadas e a distância entre as celas não inibem a comunicação, que se dá aos berros através da pequena abertura dos guichês. Discernir a voz e entender o que responde a companheira em algum canto da galeria, no meio daquele berreiro, é proeza extrassensorial.

Pouco mais tarde, virá a contagem, ritual obrigatório em todas as cadeias do mundo. Com duas mulheres em cada cela, a tarefa não se compara à dos tempos do Carandiru, em que os xadrezes chegavam a conter quinze, vinte homens.

Silêncio só quando começa a novela das nove, evento que traz sossego até a abertura da tranca às oito da manhã, eventualmente interrompido a qualquer hora da madrugada se alguém passa mal.

— Senhora, abre a porta da cinco, quatro, dois, minha parceira tem asma. Vai morrer de falta de ar. Senhora! Senhora!

Se a funcionária demora a atender, as vizinhas se põem a clamar para que se apresse, para que chegue antes do óbito da 542. Impossível não despertar o pavilhão inteiro.

Desavenças entre duas parceiras podem eclodir a qualquer momento. Como as líderes dos pavilhões — as "irmãs" do PCC — proíbem agressões físicas e até verbais, essas brigas geralmente ocorrem por crises de ciúmes. Com todas trancadas, não há como separar as contendoras, que se pegam aos tapas, arranhões, mordidas e puxões de cabelo. Às vizinhas despertadas, só resta tentar pôr fim à confusão no grito.

Nas celas do último andar de um bloco situado logo à esquerda do pátio de entrada da cadeia, isolado do prédio principal onde ficam os três pavilhões, durante uma época funcionou o Seguro, ala criada para garantir a integridade das presas sem possibilidade de convivência com a massa carcerária: as que mataram, agrediram ou abusaram de crianças ou de seus próprios pais, as que fazem parte ou vivem com membros das facções inimigas do Comando, as que tiveram relacionamento amoroso com policiais civis ou militares, as delatoras, as condenadas à morte por infringir as leis do crime ou os interesses comerciais da facção, as insolventes com dívidas impagáveis e as que um dia trapacearam na divisão do produto de um roubo.

Nesse grupo estão incluídas também aquelas que administram Citotec — pílula empregada para interromper a gestação — e as que realizam manobras abortivas em espeluncas clandestinas dos bairros afastados. Quando pergunto por que condenam ao ostracismo as mesmas mulheres às quais recorrem para livrá-las da gravidez indesejada, a resposta é unânime:

— Elas matam criancinhas.

Atendi as presas do Seguro algumas vezes. Todas se queixavam da gritaria que varava a madrugada.

A razão para que as vozes se calem pelo menos quando começa a novela das nove nos pavilhões do prédio principal é a existência de lideranças capazes de impor regras mínimas de convivência, inexistentes numa ala de alta rotatividade como o Seguro, que reúne presas de origens diversas, trancadas o tempo todo, sem oportunidade nem tempo hábil para formar coalisões que assegurem a dominância, condição necessária para impor a ordem e impedir que cada uma aja como bem entender.

Com a fisionomia abatida, uma loira alta que aos 32 anos já colecionava cinco mortes no prontuário, inclusive a de uma companheira de cela, asfixiada com um travesseiro em Campinas, razão de sua transferência para o Seguro em São Paulo, queixou-se em voz baixa:

— Aqui ninguém dorme, doutor. Estou pagando caro pelos meus pecados, o inferno não pode ser pior.

O dr. Maurício Guarnieri mais tarde acabaria com o setor, por julgá-lo contraproducente.

— Na concepção da mulher que vai para o Seguro, ela perdeu a dignidade. Daí para a frente, é só problema: quer pôr fogo, cortar os pulsos, armar confusão e jogar na direção da casa a culpa de tudo que acontece.

Santíssima inocência

Um observador desavisado ficaria revoltado com tamanha cegueira da Justiça. A julgar pelas histórias que as mulheres contam, nenhuma é culpada de coisa alguma.

Negar a autoria dos crimes cometidos também é frequente em cadeias masculinas, mas entre eles não são poucos os que se declaram bandidos, traficantes, ladrões e até matadores com uma ponta de orgulho, especialmente quando estão entre seus pares ou diante de uma figura como a do médico em quem confiam. Salvo exceções, as mulheres fazem de tudo para esconder a autoria das contravenções e dos crimes praticados.

Quando lhes pergunto por que motivo foram presas, não entram em detalhes, respondem com o número do artigo do Código Penal em que foram enquadradas: 33 (tráfico), 35 (associação para o tráfico), 155 (furto), 157 (assalto à mão armada), 121 (assassinato), 159 (sequestro), 171 (estelionato) são os mais populares.

O fato de terem recebido as penas previstas nesses artigos

não significa que admitam a justiça da condenação. Para explicar o crime que as levou à prisão, repetem um mantra:

— Estava no lugar errado, com as pessoas erradas, na hora errada.

Condenações de até quatro ou cinco anos são chamadas de "cadeia de poeta"; entre os quatro ou cinco e os dez anos, "cadeia de Matusalém". A partir daí a presidiária cai na categoria de "patrimônio público".

Dona Maria do Socorro, uma senhora obesa e diabética que não se separava de uma Bíblia encadernada e se dizia frequentadora fervorosa e contribuinte assídua da Igreja Universal do Reino de Deus, contou que foi enquadrada no artigo 33 porque andava despreocupada pelo Shopping Aricanduva, na Zona Leste, quando uma jovem foi até ela com um embrulho de presente na mão:

— Será que a senhora pode segurar enquanto eu vou ao banheiro?

A polícia teria chegado em seguida. No pacote, por acaso, havia dois quilos de pasta de cocaína. E a mocinha?

— Entrei com os polícias atrás dela no banheiro. Mistério, ela tinha sumido.

Zilda, morena franzina com ar de freira, moradora de Parelheiros, na Zona Sul, condenada a nove anos por assassinato, queixou-se de ser espancada sempre que o marido chegava bêbado. No dia da tragédia:

— Ele chegou com o diabo na mente. Me chamou de ordinária, vagabunda e me deu um soco na cara que me fez bater com a cabeça na prateleira de cima da pia. Caíram dois pratos e o facão de cortar carne. Peguei o facão e fui pra cima dele no intuito de colocar ele pra fora de casa.

Acovardado, o valentão teria ido até a porta de entrada, mas ao subir os degraus que davam acesso a ela, a bebedeira o fez dar um passo em falso, fatídico, infelizmente:

— Ele desequilibrou, caiu pra trás e espetou as costas no facão afiado que eu estava segurando.

Cega como de costume, a Justiça não considerou razoável essa explicação. Os jurados preferiram acreditar na versão do promotor, segundo a qual ela teria esfaqueado o consorte enquanto ele dormia de bruços, depois da última bebedeira.

Cilmira, de cabelo loiro em um rosto escuro, também se queixa do erro judiciário de que foi vítima. O marido foi morto a tiros numa emboscada por um sobrinho dele de 25 anos, que viera do interior para morar com o casal enquanto procurava emprego.

— Ele deve ter apanhado muito para inventar que nós tínhamos um caso e que eu fui a mandante. Que absurdo, eu amava meu marido.

No júri popular pesou contra Cilmira o fato de ter 22 anos, o marido 74 e de ser a beneficiária de um seguro de vida que ele havia feito seis meses antes.

Nos casos de sequestro, crime necessariamente cometido em grupo, as penas costumam ser de dezoito a 22 anos para os protagonistas e de doze a quinze para coadjuvantes, como cozinheiras e vigias.

Quando elas se queixam de ter recebido condenações tão longas, é comum ouvir casos como o de uma pernambucana de dentes perfeitos e cabelo encaracolado, que veio para São Paulo com treze anos, expulsa da casa em que vivia com a mãe e três irmãos mais novos na favela Brasília Teimosa, no Recife, depois de dar uma paulada na cabeça que deixou desacordado o padrasto que tentara violentá-la.

— Arranjei emprego de cozinheira numa casa no Jardim Miriam. No terceiro dia de trabalho chegou a polícia e prendeu todo mundo. Não é que tinha um senhor sequestrado lá dentro? Como eu ia saber, se não saía da cozinha?

Ou então como o de Kézia Regiane, nascida e criada num bairro de classe média de Guarulhos, usuária de cocaína desde os dezessete anos, namorada de um membro da facção que mais tarde seria executado pelos próprios companheiros por não pagar as mensalidades devidas, de acordo com o compromisso assumido quando cumpria pena no Parada Neto, presídio situado nas imediações do Aeroporto Internacional de São Paulo-Guarulhos, em Cumbica.

— Fui passar o fim de semana na casa do meu namorado. Ele ficou na sala vendo futebol com dois amigos, enquanto eu pendurava minha roupa no armário do quarto. De repente, entrou polícia por tudo que era janela. Encostaram um revólver na minha cabeça. Tinha uma mulher sequestrada num quartinho do fundo. E eu, ó, na maior ingenuidade.

Ingenuidade mais angelical só a de Francisca, que fez carreira roubando artigos de beleza, pomadas e remédios em farmácias, crimes que lhe custaram várias passagens por furto, mas às custas dos quais diz ter sustentado sozinha os quatro filhos até a idade adulta.

— Num sábado, fui visitar uma amiga que precisava ir ao dentista e me pediu para tomar conta da tia dela, que ficava trancada no quarto porque sofria daquela doença alemoa que acaba com a razão. Não deu quinze minutos, baixou os homem. Quando abriram o quarto e vi uma mulher amarrada no pé da cama, quase caí de costas.

Hoje, ela lamenta a mudança de ramo:

— Enquanto eu era 155, entrava e saía da cadeia em dois ou três meses. Fui me meter a 159, virei patrimônio público.

Em compensação, Negona não esconde nem se envergonha dos caminhos trilhados.

Batizada como Cristina Auxiliadora, a mais velha de quatro filhas, foi a primeira da classe até os catorze anos, quando o pai faleceu num acidente de trem a caminho da oficina mecânica em que exercia o ofício de funileiro. A perda obrigou-a a interromper os estudos para trabalhar como diarista na residência da dona do escritório em que sua mãe era faxineira.

As duas acordavam às quatro da manhã para deixar o almoço das menores encaminhado e enfrentar as duas horas e meia de condução para ir da periferia de Poá até o emprego em Moema, na Zona Sul da capital. À noite, quando chegavam, Cristina ainda encontrava tempo de ver as lições das irmãs e preparar as roupas que as pequenas usariam na manhã seguinte.

Um dia, no emprego, a patroa telefonou para avisá-la de que a mãe sofrera um desmaio no escritório e fora levada às pressas para o Hospital das Clínicas. Na porta do pronto-socorro, recebeu a notícia de que a mãe tivera uma hemorragia cerebral. Cristina Auxiliadora estava com dezoito anos; as irmãs tinham catorze, onze e oito anos.

Assim que voltaram do cemitério, reuniu as três para dizer que não ficariam desamparadas: a partir daquele instante ela arcaria com as responsabilidades de chefe da família, todas lhe deveriam obediência e nenhuma abandonaria os estudos. Com a de catorze anos foi mais severa:

— E você não vai ter filho com quinze anos como as nossas vizinhas. Se me aparecer grávida, obrigo a tirar.

Durante três anos continuou na mesma luta, ainda com mais restrições financeiras. Não saía para passear, não namorava nem tinha vida pessoal; seu tempo livre era para cuidar da casa, das roupas e das lições das irmãs. Estava decidida a mantê-las unidas e levá-las à universidade, pretensão que fazia a vizinhança rir às escondidas, já que em sua presença ninguém ousava.

Quando tinha 21 anos, a patroa lhe deu a notícia de que se mudaria para o Rio de Janeiro. Em reconhecimento pelos bons serviços prestados, Cristina Auxiliadora recebeu cinco vezes mais do que a lei estipulava, paliativo de duração limitada.

— Como arranjar outro emprego se eu não conhecia ninguém em São Paulo? Bater de porta em porta?

Tentou em Poá, Mogi das Cruzes, Salesópolis e nas cidades vizinhas, mas o que lhe ofereciam não dava para cobrir sequer os gastos mínimos. Fazer a irmã mais velha das três abandonar a escola estava fora de cogitação: logo agora que se preparava para o vestibular?

Num fim de tarde, ela chegou em casa desiludida e cansada de bater perna atrás de trabalho.

— Me tranquei no banheiro e chorei de soluçar. Pela primeira vez na vida, senti dó de mim.

Naquela noite tomou a decisão.

— Antes que o dinheiro acabasse, resolvi ir atrás de onde ele estava. Taquara forte enverga, mas não quebra, como dizia meu pai.

Procurou um primo da mãe que havia cumprido pena por tráfico na Penitenciária do Estado.

O primo fez de tudo para dissuadi-la a entrar no negócio, disse que era um ramo cercado de perigos, no meio de policiais corruptos e gente violenta que não valia a água que bebia. Insistiu que ela poderia acabar na cadeia ou morrer de uma hora para a outra e deixar as irmãs no desamparo.

Da fase em que deixou de ser Cristina Auxiliadora para se transformar em Negona, gerente de biqueira conhecida e respeitada no Grajaú e adjacências, ela pede licença para não lembrar. Diz apenas que nunca havia sido presa, que conseguiu construir uma casa decente para cada irmã, que todas completaram o ensino superior, trabalham em suas profissões, casaram e tiveram filhos, ao contrário dela:

— Não tive tempo para essas coisas.

A caçula, justamente a mais mimada, casou com um desempregado crônico que vivia às custas da esposa, forçada a lecionar em três escolas para sustentar a família.

Cansada de aconselhá-la a botar aquele inútil para fora de casa, Negona um dia recebeu a notícia de que o vagabundo tinha uma namorada com quem se encontrava à tarde num motel da região. Mulher vivida, não ficou chocada com a traição. O que considerou imperdoável foi a desfaçatez do cunhado.

— Pagava a conta do motel com o dinheiro das aulas da idiota da minha irmã.

Às dez da manhã, hora em que a irmã estava no trabalho e os sobrinhos na escola, ela quase derrubou a porta para acordar o imprestável.

Assim que foi aberta, ela o agarrou pelo colarinho do pijama, deu-lhe duas bofetadas na cara, virou as costas e saiu calada como chegara.

Naquela noite, convencido de que a esposa havia se queixado para a irmã, o cunhado teve a infeliz ideia de lhe dar uma surra na frente dos filhos. Assustados com a gritaria das crianças, os vizinhos chamaram a polícia.

No outro dia, um investigador que dava proteção aos negócios de Negona contou-lhe o ocorrido.

Era sábado de manhã. Ela trocou de roupa e pegou um táxi. O cunhado a recebeu com as crianças na sala, dizendo que a esposa infelizmente não podia sair do quarto, porque estava com gripe e muita dor de cabeça. Negona chamou o rapaz num canto da cozinha, puxou o revólver e murmurou:

— Se não quiser tomar um tiro na cara, sai e leva as crianças daqui.

Assim que os três foram embora, Negona invadiu o quarto. A irmã tinha o rosto deformado, um hematoma extenso ocluía o olho direito e se espalhava até a mandíbula. O braço esquerdo estava engessado.

Diante das súplicas da irmã para que não se vingasse do pai dos meninos, tranquilizou-a com candura:

— Maninha, você acha que eu gostaria de ver meus sobrinhos órfãos?

Passaram-se os dias. Numa tarde de calor, Negona recebeu o aguardado telefonema: o espancador estava com a namorada no lugar de costume.

Acompanhada de dois rapazes que trabalhavam para ela, rendeu o casal de funcionários da recepção do motel. Deixou a moça sob a mira do revólver de um dos parceiros e seguiu com o outro e o porteiro para o quarto em que o cunhado se encontrava.

O funcionário abriu a porta. Na cama, de cueca, o conquistador aguardava a namorada terminar de se vestir. Com a arma em punho, Negona ordenou ao parceiro que acompanhasse a moça apavorada e o porteiro até a saída. A sós com o cunhado, disparou cinco vezes.

Por causa desse crime veio parar na penitenciária, a mesma em que o primo da mãe estivera preso vinte anos antes.

Apesar das vicissitudes, se considera uma mulher realizada.

— Minha irmã casou de novo, com um rapaz de bom caráter. As três têm casa em nome delas, trabalham, meus sobrinhos estão crescidos e ajuizados, nunca mexeram com nada errado.

Nos fins de semana não recebe visitas.

— Eu proíbo, lutei tanto, não quero ver minha família perto de uma cadeia.

Não se arrepende do assassinato. Descontado o falecido, diz que sempre conviveu em harmonia com os cunhados. Toma, inclusive, a liberdade de fazer uma crítica construtiva ao Código Penal brasileiro:

— Quem tem vários cunhados devia ter o direito de matar um. Só a partir do segundo seria considerado crime.

Solidão

De todos os tormentos do cárcere, o abandono é o que mais aflige as detentas. Cumprem suas penas esquecidas pelos familiares, amigos, maridos, namorados e até pelos filhos. A sociedade é capaz de encarar com alguma complacência a prisão de um parente homem, mas a da mulher envergonha a família inteira.

Enquanto estiver preso, o homem contará com a visita de uma mulher, seja a mãe, esposa, namorada, prima ou a vizinha, esteja ele num presídio de São Paulo ou a centenas de quilômetros. A mulher é esquecida.

Chova, faça frio ou calor, quem passa na frente de um presídio masculino nos fins de semana fica surpreso com o tamanho das filas, formadas basicamente por mulheres, crianças e um mar de sacolas plásticas abarrotadas de alimentos. Já na tarde do dia anterior chegam as que armam barracas de plástico para passar a noite nos primeiros lugares da fila, posição que lhes garantirá prioridade nos boxes de revista e mais tempo para desfrutar da companhia do ente querido.

Em onze anos de trabalho voluntário na Penitenciária Feminina, nunca vi nem soube de alguém que tivesse passado uma noite em vigília, à espera do horário de visita. As filas são pequenas, com o mesmo predomínio de mulheres e crianças; a minoria masculina é constituída por homens mais velhos, geralmente pais ou avôs. A minguada ala mais jovem se restringe a maridos e namorados registrados no Programa de Visitas Íntimas, ao qual as presidiárias só conseguiram acesso em 2002, quase vinte anos depois da implantação nos presídios masculinos. Ainda assim graças às pressões de grupos defensores dos direitos da mulher.

São poucas as que desfrutam desse privilégio. Na penitenciária o número das que recebem visitas íntimas oscila entre 180 e duzentas, menos de 10% da população da casa.

As visitas íntimas são essenciais para a manutenção dos vínculos afetivos com os companheiros e para impedir a desagregação familiar. Isolar a mulher na cadeia por anos consecutivos causa distúrbios de comportamento, transtornos psiquiátricos e dificulta a ressocialização.

Entre os 7 mil presos do antigo Carandiru, cerca de 1500 estavam inscritos no Programa de Visitas Íntimas, número que não refletia a realidade, porque no meio de tanta gente era praticamente impossível impedir encontros furtivos e mesmo a entrada de garotas de programa, cujos nomes constavam do rol de visitas de detentos que as exploravam. Em datas comemorativas como Dia das Mães, dos Pais ou Natal, chegavam a entrar de 10 mil a 15 mil visitantes na cadeia.

Nas mesmas datas, o número de visitas às mulheres é incomparavelmente menor. Nas semanas que antecedem o Natal, as presas passam dias pintando as paredes com figuras de Papai Noel, fitas e bolas coloridas e dizeres de boas-festas em letra rebuscada. Para disfarçar o ambiente de prisão, encapam as grades da gaiola de entrada com papel crepom de cores verde e vermelha; fitas coloridas e enfeites que imitam folhas de pinheiro pendem dos parapeitos dos andares superiores.

O Natal é comemorado no domingo que antecede o dia 25. A fila das que aguardam a passagem pelos boxes de revista tem no máximo vinte metros. São mulheres de todas as idades carregadas de sacolas com pacotes de pães, biscoitos, panetones, bolos, recipientes de plástico com arroz, macarronada, frango assado, maionese de batata, carne assada e garrafas enormes de refrigerantes. As mais franzinas chegam a ficar arqueadas com tanto peso. No meio da fila, há muitos bebês de colo e um bando de crianças mais velhas que as mães fazem o possível para conter.

As presas que aguardam visita postam-se nas laterais da galeria interna do pavilhão. São poucas. Na gaiola de entrada ficam as líderes e, junto delas, uma presa fantasiada de Papai Noel distribui para as crianças os doces e chocolates dispostos na mesinha ao lado.

A do Pavilhão Três, uma senhora obesa, me pediu:

— Doutor, põe no seu livro meu nome completo e não esquece de dizer que tem anos faço o Papai Noel daqui.

É comovente o brilho no olhar das mulheres quando elas veem a chegada dos filhos. Pegam os pequenos no colo e os cobrem de beijos, dão a mão aos maiores e vão com eles e seus familiares na direção das celas, cuidadosamente decoradas para a ocasião. Aos domingos, o número total de visitantes fica ao redor de oitocentos. Como vários deles visitam a mesma prisioneira, dá para ter ideia de quantas passam o fim de semana sem receber ninguém.

Anos atrás, num domingo nublado, estranhei o grande número de homens na fila. Segunda-feira, quando cheguei para o atendimento, encontrei o dr. Maurício Guarnieri, diretor-geral, e perguntei a razão daquele número inusitado de homens no dia anterior.

— Acabaram de transferir para cá mais de duzentas. No primeiro domingo eles aparecem; daqui a dois ou três fins de semana, não sobra um.

Por curiosidade, retornei um mês depois. Ele tinha razão.

Vi casos de irmãos detidos por tráfico, em que a mãe viajava horas para visitar o filho preso no interior do estado, mas não se dava ao trabalho de pegar o metrô para ir ver a filha na Penitenciária da Capital.

No mais dramático deles, um rapaz de vinte anos, usuário e traficante de cocaína desde a adolescência, era o fiel depositário da droga que a polícia encontrou atrás do guarda-roupa do quarto da irmã, funcionária de uma confecção no Brás. De nada adiantou o irmão assumir a culpa, explicar que escondera o pacote naquele local para burlar a vigilância rigorosa da irmã, nem a mãe insistir na inocência da filha, de comportamento exemplar, arrimo da família.

Quando gritou ao ver os filhos empurrados para a viatura, ela ouviu de um dos policiais:

— Se não quiser ir junto, para com esse escândalo, dona.

Numa das raras visitas que recebeu, a filha perguntou por que razão a mãe visitava todos os fins de semana, em Iaras, a 280 quilômetros de São Paulo, o filho causador de tantos desgostos, enquanto ela cumpria, solitária, uma pena injusta.

— Você tem juízo; ele precisa mais de mim — foi a resposta.

Maridos e namorados são os primeiros a ignorá-las. Não aparecem, não escrevem nem atendem telefonemas quando desconfiam que a ligação clandestina vem do presídio. Não hesitam em abandonar mesmo aquelas que foram presas por ajudá-los, como no caso das que são flagradas com droga na portaria dos presídios masculinos em dia de visita.

Quando são eles os presos, pobre da mulher que os abandone. Correm risco de morte se começam a namorar outro.

Atendi uma jovem de vinte e poucos anos, tímida, com modos comportados e fisionomia triste.

Tantas vezes iludido por sorrisos abertos, eventualmente encantadores, frases retiradas da Bíblia, confissões espontâneas de arrependimento, declarações de bons princípios e olhares inocentes no rosto de mulheres e homens que cometeram crimes pavorosos, evito fazer juízo das pessoas que atendo. Quando juram inocência, sempre parto do princípio de que o risco de que seja mentira é grande, pode estar próximo ou mesmo chegar a cem por cento, a depender da coerência da história contada.

Essa menina, no entanto, não tinha nem as tatuagens nem o andar cadenciado, nem o olhar arisco nem o linguajar típicos daquele universo.

Era filha única de um casal de portugueses que comercializava doces, salgadinhos industrializados, balas e chocolates numa lojinha espremida entre duas paredes em frente a um ponto de ônibus nas proximidades do largo Treze, em Santo Amaro, na Zona Sul. Contou que, aos dezessete anos, ficou perdidamente apaixonada pelo primeiro namorado, um motoboy que morava na rua de trás da casa dela. Aos dezenove engravidou, resolveu casar e frustrou o desejo dos pais, que esperavam vê-la receber o diploma de psicóloga, em vez de casada com um entregador de pizza.

A oposição familiar afrouxou quando eles se certificaram de que o genro era trabalhador e ganhava bem, numa profissão em que é preciso arriscar a vida pelas ruas e avenidas da cidade para pagar as contas no fim do mês. O rapaz atribuía o conforto em que viviam à generosidade das gorjetas recebidas nas entregas em domicílio que invadiam a madrugada.

Ao acordar na manhã do dia em que a filhinha fazia dois anos, ela se deu conta de que o marido não voltara para casa. Depois de dois dias de angústia, em que parentes e amigos vasculharam hospitais públicos, prontos-socorros e até o Instituto Médico Legal, receberam a notícia de que ele tinha sido preso em flagrante por tráfico e encaminhado ao Centro de Detenção Provisória (CDP) do Belém.

Ela não pôde acreditar, achou tratar-se de um equívoco que seria esclarecido nos dias seguintes. À noite, deixou a menina com os pais e foi à pizzaria pedir que o patrão do marido intercedesse em favor dele. Descobriu que o rapaz não aparecia por lá havia meses.

No primeiro domingo em que foi visitá-lo, ficou com o rosto vermelho ao tirar a calcinha e agachar diante de uma funcionária sem disposição nem tempo para delicadezas com moças recatadas.

No pátio, ele a abraçou e chorou. Explicou que fora seduzido por um colega de profissão que abandonara a pizzaria nos Jardins para trabalhar com um traficante muito bem relacionado no bairro. Sobrecarregado de entregas, o amigo precisava da ajuda de um motoqueiro que conhecesse a vizinhança, garantia que se tratava de uma atividade de risco baixo e ganhos elevados. Recém-casado e com uma filha para nascer, como poderia manter a família com a miséria que ganhava?

Duas ou três visitas depois, ela o encontrou preocupado. Insistiu para que revelasse o motivo. Depois de relutar, ele contou que a cocaína apreendida no momento do flagrante estava sob sua inteira responsabilidade; se não saldasse a dívida com o traficante, seria condenado à morte na prisão. Devia 2 mil reais.

Foi embora desesperada. Não via alternativa senão pedir a quantia ao pai, mas, se contasse a verdade, nem por sonho ele lhe daria o dinheiro.

Não adiantou mentir.

— Você acha que eu e sua mãe trabalhamos a vida inteira para sustentar vagabundo na cadeia?

Quando descreveu para o marido a reação paterna, ele implorou: o prazo ia vencer, sua vida estava nas mãos da esposa.

No domingo seguinte, ela envolveu com fita adesiva os cem gramas de cocaína e os dois chips de celular que um rapaz com boné do Corinthians e blusão de couro lhe entregara na estação

Jabaquara do metrô, colocou dentro de um preservativo, vedou com fita adesiva e introduziu o pacote na vagina, envergonhada de si mesma, segundo confessou com olhos baixos.

O nervosismo a denunciou no boxe de revista. A funcionária pediu que tirasse a calcinha e ficasse de cócoras, como de rotina, mas dessa vez insistiu que tossisse com força.

Estava presa havia mais de um ano, sem ver a filha nem os pais, que se negavam a visitá-la.

O marido?

— Não sei se está vivo ou morto.

Os filhos

A separação dos filhos é um martírio à parte. Privado da liberdade, resta ao homem o consolo de que a mãe de seus filhos cuidará deles. Poderão lhes faltar recursos materiais, mas não serão abandonados. A mulher, ao contrário, sabe que é insubstituível e que a perda do convívio com as crianças, ainda que temporária, será irreparável, porque se ressentirão da ausência de cuidados maternos, serão maltratadas por familiares e estranhos, poderão enveredar pelo caminho das drogas e do crime, e ela não os verá crescer, a dor mais pungente.

Mães de muitos filhos, como é o caso da maioria, são forçadas a aceitar a solução de vê-los espalhados por casas de parentes ou vizinhos e, na falta de ambos, em instituições públicas sob a responsabilidade do Conselho Tutelar, condições em que podem passar anos sem vê-los ou até perdê-los para sempre.

Nem sei quantas mulheres atendi em estado de choque pela perda de um filho adolescente, morto em troca de tiros com a polícia ou assassinado por desentendimentos na rotina do crime.

Condenada a seis anos por tráfico, Suzana, mãe de três rapazes, veio para a consulta nas vésperas de um Natal com os olhos inchados de chorar, depois de ouvir a notícia de que o seu caçula recebera mais de vinte tiros ao sair da casa da avó. Era o terceiro filho com o mesmo destino. Os dois mais velhos tinham morrido um ano antes, ao reagirem à prisão num assalto.

— Meus meninos foram embora sem a mãe poder rezar um pai-nosso ao lado do caixão.

As que chegam grávidas ou engravidam nas visitas íntimas saem da cadeia apenas para dar à luz. Voltam da maternidade com o bebê, que será amamentado e cuidado por seis meses nas celas de uma ala especial. Cumprido esse prazo, a criança é levada por um familiar que se responsabilize ou por uma assistente social que o deixará sob a guarda do Conselho Tutelar. A retirada do bebê do colo da mãe ainda com leite nos seios é uma experiência especialmente dolorosa.

Quando cheguei à penitenciária, as mulheres ficavam apenas dois meses com a criança, contraposição injustificável às diretrizes do Ministério da Saúde, que recomenda pelo menos seis meses de amamentação exclusiva. Quando a Justiça se deu conta da injustiça que é punir um bebê pelos erros cometidos pela mãe, o período de seis meses passou a ser respeitado.

As celas para onde as mães são transferidas ao dar à luz contêm um bercinho e prateleiras com mamadeiras e fraldas, roupinhas penduradas para secar em varais de barbante e boa parte dos utensílios das casas com um recém-nascido. Passam o tempo todo envolvidas com a criança, dando de mamar, lavando roupa, trocando experiências com as companheiras, as mais velhas orientando as marinheiras de primeira viagem.

Quando menos esperam, vem a separação. De uma hora para a outra, voltam ao pavilhão de origem e à rotina dos dias repetitivos que se arrastam em ócio, gritaria, tranca, solidão e saudades do bebê que acabaram de perder de vista.

Uma semana depois de ver a filhinha levada por uma prima do namorado, Margarete, presa duas vezes por receptação de mercadorias roubadas, comentou com um fiapo de voz:

— Só não me suicido porque tenho esperança de recuperar minha filha quando sair.

Solange tem uma visão menos otimista. Começou a fumar crack aos treze anos, com o cunhado que mais tarde acabou por abusar dela, em Peruíbe, litoral de São Paulo. A mãe e a irmã fizeram o possível para livrá-la da droga, até desistirem ao vê-la voltar às ruas dois dias depois da terceira internação numa clínica dirigida por pastores evangélicos.

Ela diz que veio para São Paulo em companhia de um grupo de usuários, para não constranger ainda mais a família na cidadezinha em que todos se conheciam. Da rodoviária foram direto para a Cracolândia.

Desconfiou que estava grávida pela primeira vez quando a gestação já ia pelo quinto mês. Não foi às consultas nem fez os exames do pré-natal.

— Que adiantava ir no médico e continuar no crack? Eu não conseguia parar, a droga tinha se apossado da minha mente.

Solange deu à luz um menino com menos de dois quilos no Hospital Leonor Mendes de Barros, na Zona Leste. O bebê passou os primeiros dias agitado, com dificuldade para dormir e crises de choro convulsivo, que persistiam mesmo depois das mamadas, ao contrário dos outros recém-nascidos. Experientes, as enfermeiras reconheceram a síndrome de abstinência e solicitaram a ajuda do Serviço Social.

A assistente social explicou que o hospital estava proibido de entregar bebês aos cuidados de mães moradoras de rua. A única alternativa seria encontrar algum parente que assumisse a guarda. Solange deu o endereço de sua mãe.

Na alta, recebeu um cartão de retorno para a semana seguinte. O filho ficou.

— Saí pela rua sem dinheiro nem paradeiro. Não conhecia ninguém fora da Cracolândia.

Na semana seguinte, a assistente social explicou que nenhum familiar fora localizado: a mãe e a irmã tinham se mudado para o Norte. Recomendou paciência, estavam tentando achá-las, mas enquanto não conseguissem o bebê iria para um abrigo com outras crianças na mesma situação.

Ela ainda voltou duas vezes.

— Sofri muito. Sabia que agora estava sozinha no mundo e que nunca mais veria meu filho. Fazer o quê? Não tinha onde cair morta, escrava do crack no meio da rua.

Uma noite, um grupo saiu da Cracolândia para roubar transeuntes na região da estação da Luz. Esqueleto, o mais ousado, carregava uma faca de cozinha.

— Quem fuma crack só assalta com faca; se tinha revólver já vendeu.

Ela foi junto.

— Estava cansada da prostituição. Entregar o corpo por dez reais ou por uma pedra de crack é vida?

Depois de roubarem três pessoas, coube a ela um celular.

— Meu coração disparou. Nunca tinha visto um com tela grande, preto, chique demais. Fui embora na fissura para vender aquela joia na biqueira. Ia dar um montão de pedra.

Na esquina seguinte, os amigos assaltaram um homem forte, que reagiu e levou uma facada no braço. Acabou presa com o celular antes de chegar à biqueira. Foi condenada a oito anos e oito meses por tentativa de latrocínio.

Chegou à penitenciária com quatro meses de atraso menstrual. Pedi o teste. Estava grávida outra vez. Encaminhei-a para o acompanhamento pré-natal e perdemos contato.

Um ano mais tarde retornou, queria remédio para secar o leite. Havia amamentado durante seis meses, até entregar a menina ao Conselho Tutelar. Perguntei se tinha esperança de encontrá-la quando saísse.

Depois de um longo silêncio, com a cabeça baixa, respondeu como se falasse consigo mesma:

— Encontrar de que jeito?

Multiparidade

Na penitenciária, se atendo uma mulher de 25 anos sem filhos, há duas possibilidades: é infértil ou gay.

Nessa idade, dois ou três filhos é o número comum à maioria, mas não são raras as mães com quatro ou cinco. Não há dia de atendimento em que não encontre alguém com sete ou oito e até mais, fertilidade de dar inveja às mulheres de cem anos atrás.

Geny, uma morena encorpada de 34 anos, presa por tráfico na Zona Oeste, teve dez filhos, o mais velho nascido quando ela tinha onze anos, época em que namorou um menino de doze.

— Como eu ia sustentar as crianças, desmiolada como eu era, sem estudo nem marido nem ajuda da família?

Gravidez na adolescência é uma epidemia disseminada nas favelas e comunidades pobres, sem que a sociedade se digne sequer a reconhecer-lhe a existência. Como a contracepção é um problema equacionado da classe média para cima, gente que tem acesso à pílula, ao DIU, aos contraceptivos de ação prolongada, às laqueaduras, a vasectomias e aos abortamentos clandestinos em condições razoavelmente seguras, o descaso com as adolescentes mais pobres é impiedoso.

A menina que engravida com quinze anos e abandona a escola para cuidar do bebê compromete seu futuro, o do filho, e empobrece os pais, obrigados a sustentar mais uma criança, já que a reponsabilidade dos homens com a paternidade indesejada é próxima de zero.

Ficamos chocados com a menina grávida em idade tão precoce, mas não levamos em conta que outras gestações acontecerão em condições semelhantes: pobreza, ignorância, habitações precárias e superpovoadas, alcoolismo, crack, violência doméstica e convívio com os marginais da vizinhança.

O risco de se aproximarem do tráfico, namorarem um ladrão, um ex-presidiário ou assaltante membro de facção criminosa é alto, porque são os únicos a ter motos potentes, tênis de qualidade, óculos escuros, jeans da moda, cordão de ouro no pescoço, revólver no cinto e dinheiro no bolso, bens inacessíveis aos que estudam ou trabalham.

Ficar com um desses homens garante a elas proteção, ajuda financeira e status social na comunidade — é preciso não ter amor à vida para desrespeitar mulher de bandido. Infelizmente, para elas é chegar perto do fogo, é estar a um passo do crime e das cadeias.

Marta nasceu numa das vilas que formam o bairro de São Mateus, na Zona Leste. Caçula de um casal com três filhas, conviveu pouco com o pai, que foi embora de casa para ir viver com uma menina mal saída da adolescência.

Com onze anos já ajudava as irmãs na montagem de carrinhos de plástico, para arcar com as despesas domésticas, trabalho repetitivo que começava ao voltar da escola e acabava na hora do banho, antes de ir para a cama. Brincar com as amiguinhas na rua, só aos domingos.

Aos doze anos começou a namorar um menino de quinze,

que a engravidou num sábado frio, embaixo de um cobertor no sofazinho da sala em frente à TV, sem que a mãe e as irmãs percebessem.

Marta passou horas sofridas em trabalho de parto, até o obstetra decidir operá-la. A menina nasceu antes que a mãe completasse catorze anos.

Não pôde viver com o rapaz.

— Nós era tudo zé-povinho. Entre a família dele e a nossa, difícil saber quem estava pior.

Nos primeiros meses o namorado ia ver o filho todos os dias. Depois foi trabalhar como entregador num mercadinho e as visitas ficaram restritas aos fins de semana. Quando o bebê tinha oito meses, Marta engravidou de novo.

A mãe e as irmãs não se conformaram. Como iriam manter outra criança com a miséria de ajuda que o pai dava?

Para agravar a situação, Marta descobriu que ele havia engravidado uma colega da classe dela, que morava numa rua vizinha. Terminaram como inimigos.

— De vingança, proibi ele de visitar a filha. Para que serve um traste desses?

Deu à luz a segunda filha com dezesseis anos incompletos.

Um ano mais tarde, conheceu Edinho da Honda, ajudante de ordens do dono de uma biqueira próxima, com fama de cobrador violento, que apavorava usuários inadimplentes.

— No começo eu também tinha medo dele, mas depois vi que era boa pessoa, falava coisas bonitas para mim.

Os familiares fizeram de tudo para alertá-la dos riscos de se envolver com um marginal sujeito a ir parar na cadeia a qualquer momento ou acabar baleado na sarjeta. Não adiantou. Em seis meses, ela se mudou com as duas filhas para a casa do namorado.

Ao contrário das expectativas, o rapaz se revelou um bom companheiro.

— Ele assumiu o papel de pai das meninas, ia buscar elas na escola, tomava as lições para saber se tinham estudado, não deixava faltar nada, dava o dinheiro das despesas na minha mão e mandava comprar o que precisasse.

A única restrição é que Edinho da Honda só chegava em casa ao raiar do dia. Se Marta estranhava, ele respondia que não fizesse perguntas, quanto menos soubesse de sua vida, melhor para ela e as filhas.

Uma noite Edinho chegou mais cedo.

— Tenho dois filhos de um relacionamento anterior. Acontece que a mãe deu de fumar crack o dia inteiro. Posso trazer eles pra cá?

Tomada de surpresa, ela conta que aceitou com prazer.

— Foi uma forma de retribuir o carinho que ele dava para nós.

Tiveram uma vida familiar harmoniosa durante quase três anos e mais uma gravidez. No sétimo mês de vida desse filho, as piores premonições da mãe de Marta se concretizaram: Edinho foi metralhado em cima da moto, ao fazer uma cobrança, em frente à porta de um bar.

Marta não se desesperou.

— Só Deus sabe quanto sofri, mas tinha quatro crianças e uma para nascer que só contavam comigo.

Depois da missa de sétimo dia, foi pedir ajuda ao dono da biqueira, que lhe apresentou as condolências pela perda do companheiro que não se cansava de elogiá-la. Prometeu que os assassinos não ficariam impunes por mais de uma semana:

— Sangue se paga com sangue.

Em seguida, disse que precisava de uma contadora de confiança. Trabalho em escritório, no horário noturno. Poderia passar o dia com os filhos e contratar alguém para cuidar deles à noite. Dinheiro não seria problema.

Os negócios na biqueira caminharam tão bem que o dono adquiriu outras duas, nas proximidades. O controle dos montantes envolvidos nas transações de compra e venda, no pagamento dos fornecedores e vendedores e nos subornos ficava sob a responsabilidade de Marta, a única pessoa que controlava as finanças da operação inteira, além do proprietário. Pelos serviços prestados, recebia 2 mil reais por semana, uma fortuna na época.

Como nesse ramo não há bem que sempre dure, a casa caiu quando um grupo de policiais exigiu 100 mil reais por mês para permitir que os negócios continuassem caminhando nas três biqueiras. O dono considerou a quantia abusiva.

Marta foi presa em flagrante no escritório, junto com cinco vendedores. O dono foi deixado em liberdade, "para refletir", conforme disseram.

Na penitenciária, recebia a ajuda do patrão. As cinco crianças foram morar com a mãe e as irmãs. A família permanecia unida e sem problemas financeiros.

— Não esbanjei. Coloquei tudo no nome da minha mãe e das minhas duas irmãs solteiras até hoje. Temos um comércio, deixei todos bem.

Naquela manhã, estava especialmente feliz.

— Nesse fim de semana nasceu minha neta.
— Neta? Quantos anos você tem?
— Vinte e oito, doutor.
— Vinte e oito?
— Tô ficando velha.

Álcool, maconha e cocaína

Ainda está para ser criada a cadeia livre de drogas ilícitas. Talvez exista um ou outro pequeno presídio de segurança máxima nos Estados Unidos ou no Japão em que os controles sejam excessivamente rígidos, mas nas prisões em que se acha confinada a grande massa carcerária do mundo é humanamente impossível abolir o tráfico.

Este, inclusive, é um dos argumentos dos defensores da legalização das drogas ilícitas: se a sociedade não consegue sequer impedir que atravessem os portões de ferro das cadeias, é ridículo supor que a repressão policial acabará com elas na liberdade das ruas.

Na Penitenciária Feminina, como esmiuçar caixa por caixa que chega pela carroceria dos caminhões que atravessam os portões levando alimentos para mais de 2 mil mulheres, material para o trabalho nas firmas, para os consertos e as demais necessidades de manutenção do presídio, sem paralisá-lo? Aos domingos, quantas horas seriam necessárias para revistar minuciosamente as roupas de cada visitante, a vagina e o reto de todas as mulheres, as sacolas com comidas e mantimentos? Como identificar o funcionário subornado que faz vista grossa à passagem de uma partida de maconha? Com um número reduzido de guardas, como localizar a cela que destila maria-louca na calada da noite?

Maria-louca, a aguardente tradicional dos presídios, é fabricada nas celas da nossa penitenciária desde sua inauguração nos anos 1920. Numa vasilha são misturados grãos de milho ou arroz cru, água, açúcar, fermento em pó e cascas das frutas que estiverem à mão. A vasilha é coberta com um pano fino e fechada com uma tampa bem atarraxada, para evitar que o cheiro se espalhe pela galeria. A mistura permanece uma semana em repouso para fermentar.

Por causa da pressão interna, há que ter cautela na hora de abrir. O conteúdo é filtrado num pano limpo e os componentes sólidos jogados no vaso sanitário, para não deixar pista. A fração líquida vai ao fogo num recipiente dotado de um orifício na parte superior, no qual é adaptada uma mangueirinha de plástico conectada a uma serpentina de cobre.

Ao levantar fervura, o vapor sobe pela mangueira e passa pela serpentina, que será esfriada continuamente com uma caneca de água fria. O resfriamento condensa o vapor que pinga na garrafa colocada na saída da serpentina. A bebida está pronta para o consumo.

A artesanal maria-louca sofre a concorrência desleal das garrafas industrializadas de conhaque, vodca, cachaça, uísque e das gelatinas de aparência inocente preparadas com doses generosas de vodca que eventualmente burlam a vigilância. Sua vantagem é o preço, cerca de cinquenta reais o litro, contra os cem a 150 reais dos concorrentes comerciais, valores que flutuam de acordo com as dificuldades enfrentadas na passagem pelos boxes de revista.

Os encarregados da disciplina procuram reprimir ao máximo as bebidas alcoólicas. Alcoolizadas, as mulheres brigam, criam problemas disciplinares, desrespeitam e podem agredir as funcionárias.

Apesar das medidas repressivas, são poucos os períodos em que a cadeia permanece abstêmia por escassez. Um dos mais longos foi o iniciado em outubro de 2014, por ocasião de um entrevero que envolveu um grupo de detentas bêbadas e desgostou os escalões mais altos do PCC. No Salve da semana seguinte (conjunto de decisões tomadas pelo Comando Central que deve pautar o comportamento do dia a dia em cada uma das cadeias sob seu comando), as irmãs-líderes dos pavilhões receberam ordens expressas dos superiores para suspender a fabricação de maria-louca. A punição foi dura, como costumam ser as de caráter disciplinar decretadas pela bandidagem: a lei seca durou seis meses.

Quando uma das irmãs do Comando me contou essa história, comentei:

— Vocês são engraçadas. Dizem que são corajosas, bandidas, do crime, que mandam na cadeia, mas na hora do Salve têm que obedecer os homens.

Ri, quando acabei de falar. Ela não achou graça.

O tráfico interno de cocaína é o mais rentável. Nos preços praticados no início de 2017, o pacote com cem gramas de maconha valia oitocentos reais, enquanto os mesmos cem gramas de cocaína eram vendidos por 2400 reais, com a vantagem de não ter cheiro e ocupar menos espaço, características que facilitam o transporte. Como os demais produtos comercializados nas cadeias, os valores flutuam em obediência à lei da oferta e da procura.

A compulsão desencadeada pela cocaína faz a usuária perder o controle e contrair dívidas. As inadimplentes entram, então, num período conhecido como Prazo, com duração de vinte dias. Se o pagamento não for efetuado, no 21º dia começará a correr um segundo período, o Vermelho, agora com duração de sete dias. Se persistir a inadimplência, vem o derradeiro: a Tolerância, que dura dez dias.

No fim da Tolerância, a devedora que não pede para as funcionárias providenciar transferência rápida para as celas de Seguro fica sujeita à violência da cobrança. Mortes, como havia no Carandiru, não existem mais por proibição expressa do Comando. Espancamentos são permitidos apenas com autorização da liderança.

Anos atrás, na galeria central, vi uma presa loirinha oxigenada, que teria no máximo um metro e sessenta de altura, chamar para a briga a agente penitenciária Genilda, a mais alta e forte de todas as funcionárias da cadeia, que permanecia impassível diante dela.

Quando perguntei ao Valdemar por que Genilda aguentava a agressão sem reagir, ele explicou:

— A presa está no Vermelho, procurando pretexto pra ser mandada pro Castigo. A Genilda tem mais de vinte anos de experiência: se reage vai dar o que a outra quer, ir pro Castigo na moral, porque agrediu uma guarda. Melhor do que sair desmoralizada, como pilantra.

A euforia provocada pela cocaína é tão intensa que imprime memórias persistentes nas redes de neurônios envolvidas nas sensações de prazer. A intensidade do efeito nos centros cerebrais de recompensa torna insignificante a alegria de brincar com uma criança, o encontro com o amigo, a companhia da pessoa amada, o pequeno sucesso profissional, o gosto por um trabalho bem-feito, a beleza da paisagem ou de uma obra de arte. Na ausência da cocaína o mundo empalidece, o dia a dia transcorre acinzentado, a vida se torna um fardo difícil de carregar.

Ao contrário do que muitos pensam, seu poder aditivo não é avassalador. Na abstinência, o usuário pode entristecer e sentir falta dos prazeres e da excitação causada por ela, mas não entra em crises sintomáticas como as do álcool, da heroína ou da nicotina. Por essa razão os especialistas recomendam às pessoas em tratamento que se afastem da droga, dos usuários e dos ambientes em que a consumiam.

O martírio do abstinente se instala ao ver o pó, voltar ao local ou reviver situações em que fazia uso dele ou ter contato com alguém sob seu efeito. Nessas ocasiões o coração dispara, as mãos congelam e o corpo é tomado por uma inquietude incontrolável, sintomas que mimetizam a impressão de morte iminente da síndrome do pânico. Ao mesmo tempo, podem surgir cólicas abdominais e náuseas, às vezes seguidas de vômitos e diarreia.

Como ocorre com a administração repetitiva de outras drogas psicoativas, com o passar do tempo o organismo desenvolve tolerância progressiva, fenômeno que obriga o usuário a aumentar as doses.

Nessa fase, o efeito excitatório pode ser contaminado por pensamentos e delírios de perseguição: a certeza de que a polícia vai entrar pela janela, de que há um inimigo escondido embaixo da cama ou que algo terrível está prestes a acontecer. Esse desespero paranoico, que se repete a cada dose aspirada, confere ao dependente a denominação pejorativa de noia.

Apesar dos terrores alucinatórios, a compulsão para cheirar outra carreira não abranda, ainda que não traga mais prazer, apenas crises de pavor. O cérebro caiu na armadilha. Feito um rato condicionado em laboratório para pressionar a alavanca que lhe administra mais uma dose, o usuário insistirá na busca incessante da euforia que experimentava no passado, agora substituída por angústia, ansiedade e medo.

Se existe uma área da medicina em que adquiri experiência foi a do uso compulsivo de cocaína. Quando cheguei ao Carandiru em 1989, a onda era injetá-la na veia, forma de administração que se disseminava em silêncio na periferia de São Paulo, só detectada pelos serviços de saúde pública com o aparecimento dos primeiros casos de aids. Por inacreditável que pareça, naquela época a voz corrente era a de que o uso de cocaína estava restrito aos mais ricos.

No primeiro estudo de prevalência do HIV que fizemos naquele ano, dos 1492 presos do Programa de Visitas Íntimas da Casa de Detenção 17,3% eram HIV-positivos, dos quais mais de 90% infectados ao compartilhar agulhas e seringas.

Num estudo paralelo, mostramos que o índice entre as travestis presas era de 78%, número que chegava a 100% naquelas detidas havia mais de seis anos na casa.

Nunca soube de uma pesquisa, em qualquer lugar do mundo, que encontrasse a totalidade de infectados pelo HIV em alguma população específica.

Em 1992, o crack chegou à cidade, varreu a cocaína injetável do mapa, reduziu a transmissão do HIV e se disseminou feito epidemia. Na Detenção, em pouco tempo fiquei com a impressão de que os 7 mil detentos fumavam a droga.

A desorganização social e a subversão da hierarquia interna foram tamanhas que o Amarelo, setor que albergava aqueles marcados para morrer por desavenças com os companheiros, chegou a conter mais de seiscentos usuários endividados, quase 10% da população da casa.

Perdi a conta de quantas vezes fui chamado para atestar mortes por overdose e por assassinato de devedores insolventes. Constatei o óbito de um rapaz esfaqueado porque devia um pacote de cigarros. Vi homens com menos de trinta anos arrastando braços e pernas paralisados por acidentes vasculares cerebrais causados por doses excessivas. Nunca imaginei que uma droga pudesse provocar tamanha desorganização social e tantas tragédias humanas.

Na enfermaria, quando um doente negava o uso, eu partia do princípio de que devia ser mentira. É provável que tenha acertado mais vezes do que errei.

Adquiri a convicção de que o crack jamais seria banido do sistema penitenciário, por mais severa que se tornasse a vigilância. Estava enganado. Quando o Comando assumiu o poder na maior parte dos presídios paulistas e concluiu que as vendas de crack prejudicavam a disciplina e a ordem econômica, baixou um decreto: foi pego fumando crack, leva uma surra para aprender. Traficou, morre.

Ao contrário de nosso Código Penal, sujeito a inúmeras atenuantes, agravantes, apelações e jurisprudências contraditórias, o da bandidagem é de tradição oral e prevê todas as contravenções imagináveis. A burocracia é mínima, os julgamentos rápidos, as penas são de execução imediata e jamais prescrevem. Soube de homens executados mais de vinte anos depois de terem roubado um comparsa ou estuprado uma mulher.

Custei a acreditar que os presídios estavam de fato livres do crack. Quando me convenci, tive a esperança de que aconteceria o mesmo nas ruas, em analogia ao desaparecimento da cocaína injetável, que havia começado no Carandiru e chegado à periferia no início dos anos 1990. Estava enganado outra vez, como explicou Janina, moça com mais de cem quilos, presa por traficar nas imediações da avenida Duque de Caxias, na região central de São Paulo.

— Vai acabar, não, doutor. Na rua, se o senhor quiser ganhar dinheiro no tráfico tem que vender crack.

Embora deva haver rotas alternativas que desconheço, o grosso da droga entra com as visitas, como afirmam as mulheres para quem pergunto.

É impossível impedir o tráfico-formiga das visitantes. Quantidades pequenas podem vir costuradas à roupa, disfarçadas no interior das sacolas com mantimentos, dos saltos de sapato, nas fraldas dos bebês, em maços de cigarro, nos absorventes íntimos, nas bengalas e aparelhos ortopédicos das senhoras mais velhas.

Como revistar tudo? Quanto tempo seria necessário para liberar cada visitante?

Ainda que todas as cautelas fossem tomadas, não haveria como desprezar a criatividade humana.

Independentemente da idade que tenham, as mulheres passam pelo constrangimento de sentar num banquinho detector de metais, além de tirar a calcinha e agachar sobre um espelho colocado no chão, para que a funcionária inspecione os genitais. Uma vez foi surpreendida uma jovem mãe, que havia colado aos pelos pubianos um saco de plástico preto contendo cocaína, que ficava encoberto pela blusa ao agachar e abaixar a calcinha. O espelho refletia apenas a imagem dos genitais, que nada continham. Para manter o saco plástico aderido com firmeza ao púbis, ela tinha usado Corega, adesivo de dentaduras. Quantas já teriam passado incólumes pela revista empregando esse método?

Uma jovem funcionária confessou que abrevia a revista das que se apresentam em más condições de higiene:

— Tem umas que ficam dois dias sem trocar o absorvente. É de embrulhar o estômago. Eu mando vestir logo a calcinha. Sei que pode ter droga, mas vou examinar? Não sou ginecologista.

A frustração de lidar com as usuárias de cocaína é enorme. Queixam-se de nervosismo, agitação, dificuldade para dormir, obstrução nasal, sangramentos no septo, muitas vezes já necrosado ou corroído a ponto de deixar um buraco que comunica as duas fossas nasais. Algumas sentem pontadas lancinantes nos seios da face, que se propagam para as têmporas toda vez que inalam a droga. Sinusites bacterianas são complicações frequentes. Chegam aflitas com as dívidas contraídas e a impotência para resistir à tentação onipresente.

Não é raro suplicarem ajuda, pedirem em nome de Deus que as livre do tormento que faz o inferno de suas vidas. Quando lhes digo que a medicina não sabe tratar compulsões como essas, que não dispomos de medicamentos eficazes e que a única alternativa é se manterem afastadas do pó, dos locais de uso e das pessoas sob seus efeitos, elas dizem com desânimo:

— Aqui? De que jeito?

Numa terça-feira de setembro de 2015, quando conferi pela última vez as mensagens do WhatsApp antes de ir para a cama, encontrei um vídeo enviado por um amigo com os dizeres: "Olha as suas meninas na penitenciária".

Não acreditei. Se não conhecesse várias personagens que participavam dele, apostaria que se tratava de uma dessas montagens da internet.

Era uma confraternização organizada no dia anterior, num dos andares do Terceiro Pavilhão, pouco depois de eu haver terminado o atendimento. Fora do ângulo de visão do posto de vigilância das agentes penitenciárias situado no primeiro andar, acontecia uma comemoração. Numa das passarelas que unem as duas alas de celas no quarto andar, via-se uma mesinha com uma bandeja inoxidável à esquerda da tela, na qual estavam alinhadas várias carreiras de cocaína formando palavras que saudavam o 22º aniversário do Comando, nascido em 1993 com o rescaldo do massacre do Carandiru.

No centro da mesa, uma bandeja de plástico bege exibia duas filas contendo 22 carreiras cada uma. À direita da tela, numa bandeja azul, aparecia a mão de uma presa, com esmalte cor-de-rosa, ajeitando as fileiras do pó com um cinco de copas de baralho.

As galerias laterais do andar, a passarela situada na frente de onde estava a mesa e as do andar de baixo achavam-se apinhadas de mulheres que batiam palmas cadenciadas e gritavam: "É o quinze. É o quinze", os dois primeiros algarismos da sequência 15.3.3 (correspondente à ordem numérica das letras P e C no alfabeto), que tradicionalmente identifica a facção.

No lado esquerdo da mesa, surgiu a figura de uma das líderes da cadeia — uma mulher obesa e hipertensa que sofria de diabetes difícil de controlar — pedindo que as detentas organizassem uma fila de cada lado. Justificava que a quantidade não era grande, daria um pouco para cada uma, mas que também distribuiriam um baseado para cada três pessoas. Pedia desculpas por não ter dado tempo de fazer um bolo de aniversário.

O vídeo mostrava as presas em filas ordeiras, cheirando com parcimônia a porção que lhes cabia. Do lado direito da mesa, alguém com uma garrafa PET servia, para as canecas esticadas em sua direção, uma bebida alcoólica cor de suco de laranja.

Gravado com o celular por uma presa, o vídeo teria sido enviado para uma pessoa de confiança, que repassou para outra. Em 24 horas, as imagens chegavam ao meu celular através do YouTube. Que ingenuidade irresponsável terem deixado filmar, pensei ao terminar de assistir ao vídeo.

A resposta da Secretaria da Administração Penitenciária foi imediata: o diretor de segurança mais dois funcionários perderam seus postos, a Corregedoria Administrativa iniciou uma investigação, foi realizada uma revista rigorosa, cela por cela, e decretada a cassação de diversas regalias. A cadeia inteira pagou pela ousadia do enfrentamento.

As presas que foram identificadas receberam bonde (transferência) para outras cadeias, e a líder da festa se tornou a primeira mulher do sistema penitenciário a ser punida com o isolamento no presídio de segurança máxima de Presidente Venceslau.

Duas semanas mais tarde, quando voltei a atender no Terceiro Pavilhão, elas se queixavam das vantagens perdidas, do endurecimento das normas disciplinares e das revistas realizadas pelo Grupo de Intervenção Rápida, o GIR, formado por agentes penitenciários especialmente treinados para sufocar rebeliões, revistar e impor a ordem nas prisões do estado, em substituição aos policiais militares, que anteriormente exerciam essas funções. A criação do GIR foi consequência do massacre de 1992, quando as autoridades finalmente se convenceram do absurdo que era enviar a PM para dentro das cadeias.

Com ar sério, durante as consultas eu dizia que as havia reconhecido no vídeo. Algumas negavam a presença, outras se assustavam com a possibilidade de serem identificadas e transferidas, o que certamente ocorreria. Ficavam aliviadas quando lhes dizia que era uma brincadeira para obter a confissão de que haviam participado da festa.

Quando repeti a estratégia com dona Célia, que passou mais tempo de vida em cadeias do que em liberdade, não deu certo.

— Não me viu, não. Assim que a confusão começou, fui pra dentro da cela. Quem não é vista não é lembrada.

Questão de moral

Se comparássemos a dependência química a um fosso que engole o dependente, o crack seria o mais profundo.

Como outras drogas psicoativas, os efeitos da cocaína variam com a via de administração e se esvanecem com a frequência do uso. Quando aspirada, a absorção se dá através dos vasos que irrigam a mucosa nasal, num tempo proporcional à superfície de contato com o pó. A concentração na corrente sanguínea aumenta gradativamente, atinge os níveis mais altos e começa a decrescer, até o desaparecimento da ação euforizante, fase em que o usuário experimenta os sintomas depressivos que o levam a repetir a dose.

Injetada na veia, a circulação venosa conduz a cocaína às câmaras do lado direito do coração, de onde o sangue é bombeado para os pulmões, oxigenado, e volta para o coração pelo lado esquerdo. Do ventrículo esquerdo, a droga será impulsionada na direção da aorta, que a distribuirá dissolvida no sangue que vai irrigar todos os tecidos. Ao atingir os neurônios cerebrais, a cocaína provocará a sensação conhecida popularmente como "baque".

Baque é o nome que descreve com propriedade o impacto da chegada da droga em concentração elevada às sinapses entre os neurônios. O efeito é rápido e intenso, porém fugaz. Com o uso crônico, pode durar um minuto, se tanto. Nas rodas de baque, mal acabou de receber uma dose, o usuário já comprime ansiosamente o antebraço para saltar as veias, à espera da próxima.

Como o crack é fumado, o efeito acontece mais depressa ainda, porque a fumaça contendo partículas de cocaína em suspensão cai diretamente nos alvéolos pulmonares, sem perder tempo na circulação venosa. A intensidade do efeito cerebral é comparável ao obtido por injeção intravenosa, sem a necessidade de agulhas, seringas, picadas, nem os riscos da transmissão da aids e dos vírus das hepatites, razões pelas quais a entrada do crack no mercado acabou com a moda do baque.

Quem injeta cocaína na veia ou fuma crack não costuma achar graça na euforia da instalação mais lenta e menos intensa produzida pela aspiração da droga.

Estudos com animais de laboratório mostram que quanto mais curto o intervalo de tempo entre a administração de uma droga psicoativa e a recompensa trazida por ela, mais rápida é a instalação da dependência. Essa conclusão vale para as compulsões de modo geral: jogar em caça-níqueis vicia muito mais do que apostar na loteria; a compulsão para comprar roupas diretamente nas lojas é mais incontrolável do que fazer o mesmo pela internet.

Na penitenciária, o número de usuárias e de ex-usuárias de crack reflete a prevalência do uso nas camadas mais pobres da população. A existência de biqueiras na esquina de casa, as amizades, os maus exemplos de parentes e amigos mais velhos, a desorganização familiar, a falta de atenção dos pais, a falta de limites impostos aos impulsos da adolescência e o fascínio que o poder dos traficantes exerce na pobreza da periferia formam o caldo de cultura que as aproxima do crack, a droga mais barata e de efeito mais avassalador.

É óbvio que ninguém fuma crack pela primeira vez achando que pode acabar dependente, na sarjeta. As cracolândias não são a causa das tragédias individuais dos incautos que delas se aproximaram nem chagas que a repressão policial possa cicatrizar, mas consequência de uma ordem social que coloca em situação de risco meninas e meninos com escolaridade precária, despreparados para o mercado de trabalho, filhos de famílias desestruturadas que enfrentam dificuldades financeiras crônicas e convivem com amigos e parentes usuários da droga.

Muitas jovens que vão parar nas prisões são iniciadas no crack mal saídas da infância e chegam às sarjetas na época em que as de classe média ingressam no colegial.

Como conseguem sobreviver nas ruas com a roupa do corpo e um cachimbo na mão?

Há três caminhos: traficar, roubar ou vender o corpo, estratégias muitas vezes excludentes por questões morais, como nos casos de Surli e Marta.

A mãe e o pai de Surli fumavam crack na presença da filha e dos dois irmãos menores. As privações pelas quais as crianças passavam e a penúria da casa, despojada de todos os bens que pudessem ser convertidos em pedras, fizeram com que uma tia paterna adotasse os dois meninos e uma vizinha levasse Surli, com nove anos, para ajudar no trabalho doméstico e tomar conta da filha pequena em troca de casa e comida.

Não apanhava dos patrões, mas bastava deixar poeira num móvel ou embaixo da cama do casal, guardar uma panela mal lavada ou descuidar da criança por um instante, para ficarem dias sem lhe dirigir a palavra. Nas falhas que consideravam mais graves, ela ia para a cama sem jantar. No dia em que levou uma bofetada no rosto porque a menina escapou de sua mão e caiu na escada, Surli saiu correndo pelo portão e desapareceu. Tinha onze anos e a roupa do corpo.

No meio dos menores das cercanias da praça da Sé, conheceu o crack.

Aprendeu a roubar e a traficar com uma parceira de quinze anos que a adotou.

— Foi minha mãe de rua, a primeira pessoa que se preocupou comigo. Não comia um pão doce sem dividir.

Mães de rua são personagens que amenizam o sofrimento das meninas e dos meninos pequenos que perambulam em bandos pela cidade. Em geral não passam de adolescentes abandonadas cujo instinto maternal e altruísmo feminino as levam a proteger e orientar as crianças menores como se fossem filhos.

— Nunca me prostituí, aprendi com ela que o corpo a gente não vende nem se passar fome.

Marta não concorda. É uma moça de olhar insinuante que um dia perguntou se eu traía minha mulher com profissionais. Respondi que não e quis saber por que ela me fazia uma pergunta como aquela, tão pessoal quanto inusitada numa consulta médica.

— É que eu acho que todo homem sai com garota de programa. Até aqueles que não dão aparência, como o senhor.

Criada pela avó no Grajaú, não lhe faltaram carinho nem bons exemplos, mas o desejo de andar na moda e de chegar chique às baladas falou mais alto. Uma amiga de infância a apresentou ao gerente de uma casa noturna em Santana, na qual funcionava um bar com pista de dança no térreo e quartos para alugar no andar de cima.

A mentira de que trabalhava como caixa de um posto de gasolina aberto à noite, em Interlagos, manteve a avó na ilusão de que a neta estava bem encaminhada.

Quando a infecção de uma ferida em uma das pernas castigadas pelas varizes e pelo diabetes tirou a vida da avó, Marta vendeu a casa no Grajaú, previamente passada para seu nome, alugou uma quitinete perto da avenida Ipiranga e foi trabalhar numa boate próxima à praça da República, local em que conheceu e se apaixonou por um ex-policial que vendia proteção a várias garotas de programa da região central.

Esse homem a apresentou ao crack numa tarde de janeiro. Na mesma madrugada, ela saiu para comprar pedra e nunca mais parou. Em menos de um ano já não tinha o dinheiro da venda do imóvel. Despejada da quitinete, foi morar na Cracolândia da Helvétia com a Dino Bueno, junto ao largo Coração de Jesus. Caíram muito os rendimentos da profissão, que continuou a exercer entre os companheiros de infortúnio.

— Cheguei a fazer programa por uma nota de cinco reais. Na época dava para comprar uma pedra.

Presa por esfaquear uma usuária de crack ensandecida que a atacou num acesso de ciúmes, segundo sua versão, aguardava ansiosa a transferência para o semiaberto.

— Agora, sem o crack, posso refazer minha vida. Nunca peguei nada de ninguém nem vendi droga para fazer a desgraça dos outros. Sou uma pessoa honesta, todo o mal que causei foi pra mim mesma.

Mais versátil, Lili traficava e se prostituía no bairro da Liberdade. Morena de estatura baixa, cabelo curto e seios fartos, veio para a consulta com queixa de crises quase diárias de enxaqueca, que passaram a acometê-la desde o nascimento do filho, ocorrido quatro meses depois da prisão.

Quando perguntei se o bebê vivia com o pai, seus olhos ficaram turvos:

— Na vida do crack vai saber quem é o pai, doutor. Meu filho ficou com a tia da minha mãe.

Não sabia se o menino estava bem, porque a tia só aceitara adotá-lo se lhe fosse concedida a guarda definitiva.

Depois que a mãe de Lili morreu por complicações de um aborto, ela se mudou para a casa de uma senhora da igreja, enquanto os três irmãos menores foram para um abrigo, à espera de adoção. Dependente de cocaína injetável e considerado incapaz de cuidar dos filhos, o pai perdeu o pátrio poder e morreu de aids menos de um ano depois.

Lili tinha paixão pela mãe adotiva, com quem frequentou a Igreja Messiânica até os dezesseis anos. A morte dessa senhora, por atropelamento, causou tanta revolta em seu espírito que ela se afastou dos fiéis, pegou raiva de Jesus e se aproximou de Juliano, ex-colega de escola com má fama na vizinhança.

Dois anos mais tarde, Lili morava num quartinho de hotel no coração da Cracolândia.

— Minha vida era atrás de dinheiro pra comprar pedra. Comecei a me prostituir na avenida Liberdade, a vender cocaína pros malucos da Baixada do Glicério e a roubar gente que passava nos carros.

Por prudência, só não vendia crack.

— As poucas vezes que peguei pra vender, fumei tudo.

Foi presa com trinta gramas de cocaína. Estava tão magrinha que o policial ficou com pena.

— Disse que só não me soltava porque o sargento da equipe ia pensar que eu tinha dado dinheiro.

Não usava droga desde a chegada à penitenciária, havia onze meses, mas morria de medo de recair quando fosse libertada.

— Se eu voltar para aquela vida, nunca mais recupero meu filho.

— E quando sair, para onde você vai?

— Não sei. Não tenho para onde ir nem conheço alguém que possa me dar uma chance.

Ficamos olhando um para o outro até ela se levantar.
— Posso dar um abraço no senhor?
Deu a volta na mesa e me abraçou com timidez. Saiu cabisbaixa. Tive que dar um tempo para chamar a paciente seguinte.

Graças a Deus

Quando entram na penitenciária, as usuárias crônicas são afastadas abruptamente do contato com o crack. Vêm de noites seguidas tomadas pela excitação maníaca que as impede de conciliar o sono por mais de meia hora, encostadas às paredes das calçadas ou deitadas na sarjeta.

Na cela, dormem dois ou três dias consecutivos; as companheiras precisam despertá-las na hora das refeições. Seguem-se alguns dias de irritabilidade, até se acalmarem. Ninguém enlouquece, briga ou atenta contra a própria vida. Muitas nem sequer se aproximam da cocaína que lhes é oferecida; no máximo aceitam um baseado. As fumantes se queixam de que é muito mais difícil livrar-se das garras da nicotina, droga causadora de crises irresistíveis de abstinência.

Parar com o crack lhes reforça a autoestima e lhes devolve a esperança de uma vida nova, ao ganhar a liberdade. Nesses dez anos, diversas vezes ouvi uma frase que jamais imaginei escutar numa cadeia:

— Graças a Deus fui presa.

A justificativa?

— Do jeito que eu estava, ia morrer na rua.

Paradoxalmente, a frustração dos bons propósitos vem com a liberdade. Sem dinheiro ou familiares dispostos a acolhê-las, para onde ir?

Josi, gaúcha de olhos azuis, saiu de Pelotas para escapar de um mandado de prisão por assalto à mão armada. Em São Paulo, procurou uma conterrânea, que a acolheu e a apresentou a Paulão, assaltante de apartamentos na região do Tatuapé e da Mooca, na Zona Leste, com várias passagens por delegacias.

— Paulão era decidido, não aturava desaforo, tinha uma voz de locutor de rádio. Foi amor à primeira vista.

A carreira de Paulão havia começado com um curso profissionalizante para chaveiros, durante o qual conquistou a simpatia do professor e o primeiro lugar da classe.

Em parceria, os namorados subornavam os porteiros para que os deixassem entrar nos prédios no período da tarde, horário em que a maioria dos proprietários estava fora. Ela tirava um estetoscópio da bolsa, colocava-o em contato com a porta de entrada para auscultar o menor ruído que denunciasse a presença dos moradores. Quando se certificavam de que não havia ninguém, ele selecionava a chave guia de acordo com o tipo de fechadura, calçavam luvas e entravam.

Só lhes interessavam joias e dinheiro. Vasculhavam tudo sem fazer desordem.

— A gente não deixava impressão digital. Depois punha tudo no lugar, na mais perfeita ordem. Devia ter vítima que levava dias para descobrir o roubo.

Alugaram um apartamento mobiliado na Baixada do Glicério, no centro, compraram carro do ano, duas motos, viajavam para o Guarujá nos fins de semana e cheiravam cocaína.

A casa caiu na semana em que Josi foi internada com uma hemorragia causada por gravidez ectópica. Estava para ter alta da cirurgia na tarde em que Paulão decidiu agir sozinho, sem avisá-la.

— Se tivesse me contado, eu não deixava ele ir, a gente ainda tinha dinheiro. Custava me esperar? Essa coisa de roubar vira uma espécie de mania que possui a mente da pessoa.

A senhora na sala do apartamento que Paulão imaginou vazio ouviu o barulho de chave na porta, passou o trinco e avisou o porteiro, que travou o elevador e chamou a polícia.

Josi foi presa no hospital. Havia tempo que o casal era procurado. Ré primária, cumpriu dois anos e oito meses na Penitenciária Feminina de Butantã, na capital. Paulão foi condenado a mais de doze.

Em liberdade, ela passou a visitá-lo na penitenciária de Hortolândia, na região de Campinas, presídio conhecido como "Carandiru caipira", desde que para lá foram transferidos os presos da Casa de Detenção, implodida em 2002.

Meses mais tarde, um funcionário barrou Josi na portaria: seu nome fora retirado do rol de visitas. Paulão tinha arranjado outra.

— Foi a maior decepção da minha vida. Perdi o rumo e caí no crack. Em pouco tempo, morava na Cracolândia.

Voltou para a cadeia ao assaltar um comerciante que acabara de sacar 250 reais no caixa eletrônico. Cumpriu um ano e quatro meses, longe da droga.

Ao receber o alvará de soltura, atravessou o portão monumental da penitenciária e parou na calçada da avenida Ataliba Leonel, encantada com o trânsito pesado àquela hora. Tudo o que tinha eram dez reais, dados por uma das funcionárias do presídio, para a condução.

Não gastou o dinheiro, seguiu a pé pela avenida Tiradentes até a estação da Luz.

— Voltei pro meio dos craqueiros, eram as únicas pessoas que me aceitavam.

Chegou à Cracolândia com fome, mas não se deu ao trabalho de comprar um sanduíche.

— Aquele povo drogado acordou um leão dentro de mim.

O vendedor nem quis aceitar os dez reais.

— Me deu uma pedra grande. Disse que era cortesia da casa.

Sobreviveu com os recursos da venda do corpo. Mal se alimentava, o pouco que conseguia era para pagar a droga já consumida. Na rotina da Cracolândia, os traficantes não hesitam em vender fiado para as mulheres, sabem que elas têm como saldar as dívidas.

— O senhor não tem ideia do sacrifício que é fazer sexo oral com os lábios queimados no cachimbo.

Pálida e emagrecida como uma sobrevivente de Auschwitz, voltou para a penitenciária menos de um ano depois da última prisão.

Veio para a consulta com queixa de sudorese noturna, febre, tosse, dor no peito e crises de falta de ar aos pequenos esforços. No prontuário médico constava que na condenação anterior havia recebido quatro meses do esquema tríplice para a tuberculose, quando chegou o alvará de soltura.

Conta que só foi para a rua porque pedir para permanecer no regime fechado depois de cantar a liberdade é falta disciplinar inaceitável no mundo do crime, procedimento que obriga a contraventora a solicitar transferência para o Seguro, expediente humilhante para quem corre risco de um dia regressar à cadeia.

Ao voltar à Cracolândia, a doença recidivou agressiva. Convencida do risco de morte e da necessidade de completar o tratamento, prometeu:

— Minha pena é curta, mas desta vez fico aqui até o fim, até terminar os remédios. Se o juiz me mandar embora, vou agredir uma guarda só para cassarem meu alvará.

É gravíssimo o problema das que recebem o alvará de soltura sem ter para onde ir. A direção da penitenciária é obrigada a cumprir a ordem no mesmo dia, ainda que a mulher não tenha dinheiro para a condução ou seja portadora de transtorno psiquiátrico.

As igrejas evangélicas e a Pastoral Carcerária conseguem acolher algumas, mas em número pequeno diante da dimensão do problema.

Vários grupos religiosos prestam ajuda espiritual na penitenciária. Ao batizar e converter as fiéis para suas hostes, nomeiam as que se encarregarão de "segurar a obra" durante a semana, o que significa realizar o culto, as sessões de leitura da Bíblia e as orações em voz alta ao meio-dia.

Nos sábados de manhã, os pavilhões são invadidos por homens de colarinho fechado, com ou sem gravata, e mulheres com vestidos discretos: são pastores evangélicos, médiuns espíritas e membros da Pastoral Carcerária.

O grupo mais numeroso é o dos evangélicos das igrejas Assembleia de Deus, Adventista da Promessa, Congregação Cristã do Brasil, Deus é Amor e Universal do Reino de Deus. Espíritas são poucos e, da Pastoral, vêm um homem e quatro mulheres.

Uma vez por mês, chega o padre para rezar a missa:

— Junta mais de cem pessoas. Até as evangélicas assistem. A mulherada aqui não quer saber: acende vela pra Deus e pro Diabo.

O trabalho

Consideramos absurdo arcar com os custos de manter na cadeia gente que mata, assalta e rouba a paz dos cidadãos. Queixamo-nos de viver atrás das grades de casa enquanto a bandidagem anda solta pelas esquinas.

Ninguém discorda de que os presos deveriam trabalhar para cobrir os gastos dos presídios construídos para confiná-los. Talvez a imagem evocada seja a dos filmes antigos, do prisioneiro com uniforme listrado acorrentado à bola de chumbo, a quebrar pedras ou fincar trilhos em estrada de ferro, sob o olhar vigilante dos guardas armados.

O que poucos sabem é que o trabalho constitui uma das principais aspirações da massa carcerária, menos por amor a ele do que por razões fáceis de compreender: além de combater a ociosidade das horas, dos meses e anos que se arrastam — um dos flagelos mais angustiantes da vida carcerária —, a cada três dias trabalhados descontam um da pena a cumprir.

Trabalhos braçais com homens acorrentados, como aqueles

dos galés na época do império, foram abandonados pela improdutividade e inadequação à era industrial.

Nas colônias agrícolas penais que fizeram parte do sistema penitenciário até a metade do século xx, os condenados aprendiam a carpir café e a cuidar de vacas e galinhas, habilidades inúteis à reinserção social quando retornavam ao asfalto. Como disse Luizão, o legendário diretor do Carandiru dos anos 1980:

— Ensinávamos japonês para quem ia morar na França.

A complexidade desse problema é incompatível com soluções simplórias. A maioria dos nossos presídios foi construída sem levar em conta a criação de espaços para oficinas de trabalho. Nos cdps de São Paulo, por exemplo, onde se aglomera, à espera de julgamento, grande parte dos presidiários do estado, como criar condições para oferecer trabalho a uma população com alta rotatividade de detenções, libertações e transferências?

Além desses entraves, é preciso lembrar que não há possibilidade de trabalho sem oferta de emprego. Quantos empresários estão dispostos a contratar operários que prestem serviços no interior das prisões? Quantos julgam que a imagem da empresa seria prejudicada?

Na verdade, a mesma sociedade que se queixa da vida ociosa dos presidiários e dos custos do sistema lhes nega acesso ao trabalho.

Os que frequentam cadeias sabem que os funcionários cuidam apenas da segurança, da vigilância e da organização das tarefas necessárias para manter a rotina em funcionamento. Serviços de limpeza, consertos de encanamentos, fiação elétrica, pintura, reparos gerais e distribuição de alimentos ficam por conta dos presos.

Na Penitenciária Feminina, de uma forma ou de outra todas as mulheres trabalham: cerca de 40% se encarregam dos serviços internos, enquanto as demais trabalham nas oficinas das empresas instaladas na parte externa, entre os pavilhões e as muralhas.

No projeto original do arquiteto Ramos de Azevedo, foi acoplada uma oficina às duas alas de cada pavilhão, providência adotada em respeito à filosofia da época, segundo a qual a "regeneração" do homem preso viria através do trabalho e do silêncio, para refletir sobre os erros cometidos.

No total são seis oficinas de 120 metros quadrados (uma em cada ala dos três pavilhões) sem comunicação direta com as galerias e as celas, acessíveis apenas por portas gradeadas existentes no primeiro andar, que abrem passagem para um corredor que conduz a elas.

Em 2007, quando o dr. Maurício Guarnieri assumiu a diretoria, não passava de duzentos o número de prisioneiras empregadas por meia dúzia de empresas. Com a experiência de muitos anos dirigindo cadeias, entre as quais a Casa de Detenção e a própria Penitenciária do Estado, quando era presídio masculino, ele conhecia muito bem o significado da frase "Mente desocupada é moradia do demônio". Por essa razão encarregou o funcionário Roberto Andretti, mais conhecido como Gaúcho, de convencer empresários a criar empregos nas oficinas da penitenciária.

Imbuído da relevância da tarefa, Gaúcho ofereceu aos empregadores duas condições atraentes: não haveria cobrança de aluguel dos espaços das oficinas nem a necessidade de arcar com encargos trabalhistas como assegura a lei.

Em cinco, seis anos, 33 firmas se instalaram na Penitenciária Feminina e criaram entre 1500 e 1600 postos de trabalho, ocupados atualmente por 60% das mulheres presas.

As atividades são sempre manuais: elas empacotam enfeites, pratos e talheres para festas, encapam botões, fabricam relógios para hidrômetros, sacolas para lojas e produtos de beleza, espelhos retrovisores, roupas, varais, elásticos para cabelo, caixas de óculos, chinelos, torneiras e conexões plásticas e equipos de soro para uso médico.

A organização é profissional. A chefia é exercida por uma funcionária, ou funcionário, que a firma envia para treinar e gerenciar os serviços, de acordo com as normas de qualidade da empresa. Na montagem de equipos de soro, por exemplo, estão envolvidas mais de trezentas mulheres, paramentadas com aventais, luvas, máscaras e gorros, em respeito às regras para evitar contaminação, as mesmas exigidas em qualquer laboratório de qualidade, porque a fiscalização da Anvisa é rigorosa. Na fabricação dos relógios d'água, existe o mesmo rigor, porque é preciso obedecer às normas técnicas do Inmetro.

Na primeira vez em que visitei a oficina dos equipos de soro, a gerente abriu a porta e gritou na direção das bancadas ocupadas por um mar de cabeças com gorro branco:

— Temos visita! O que estamos fazendo aqui?

— Salvando vidas — responderam elas em uníssono, sem tirar os olhos da linha de montagem.

A jornada começa às oito da manhã, é interrompida entre 11h40 e uma da tarde para o almoço e termina às 16h40, quando elas regressam ao pavilhão para o jantar, a tranca e a contagem noturna. Durante o expediente são liberadas apenas para ir ao banheiro, ao médico ou para atender a intimações judiciais.

O absenteísmo é mínimo, e a disciplina, mais rígida do que a das operárias em liberdade. Presa nenhuma arrisca perder o emprego, eventualidade que ocorre em caso de falta sem justificativa, mau comportamento ou improdutividade. Depois do atendimento médico, pedem atestado que confirme a hora da chegada e da saída, sem o qual serão consideradas faltosas.

Assim que começam a trabalhar, passam seis meses em observação, no decorrer dos quais recebem salários que variam de trezentos a quatrocentos reais, por produtividade. Encerrado esse período, são contratadas por um salário mínimo mensal. Estão isentas dos impostos e das taxas sindicais a que ficam sujeitos todos os trabalhadores, mas sofrem um desconto de 10%, que ficará retido numa poupança para quando ganharem a liberdade, e outro de 22%, a título de MOI (mão de obra indireta), a ser dividido com as companheiras que exercem atividades internas em setores como faxina, manutenção, elétrica, saúde, judiciário, assistência social, requisição e distribuição da boia.

Na divisão, cabe às "setores" remunerações que variam de quatrocentos reais a quinhentos reais.

Fica por conta das "faxinas" lavar as galerias com água e sabão pelo menos três vezes por semana, varrê-las e passar pano úmido nos outros dias, e recolher o lixo em sacos plásticos depois do café e do almoço, em carrinhos grandes, gradeados, que elas puxam por uma haste presa à parte central, fazendo as rodas ranger pelas galerias.

No Carandiru, as lideranças que ditavam as ordens a ser obedecidas pelos demais estavam no setor da Faxina. Na Penitenciária Feminina, o poder está em outras mãos, como veremos mais adiante.

Às trabalhadoras da Manutenção, cabe reparar as avarias do prédio centenário. Com pás e picaretas, cavam buracos enormes para localizar vazamentos, trocar canos e desentupir esgotos. Quando o Estado fornece as tintas, pintam paredes e grades, providências de impacto limitado na aparência por causa do desleixo das pintoras e das infiltrações espalhadas por paredes e tetos.

Uma de minhas pacientes, encanadora de mão cheia com formação profissional adquirida num dos presídios pelos quais passou, foi pega com mais de cem gramas de cocaína camuflados sob o vaso sanitário da cela, contravenção punida com transferência para outro presídio de condições mais duras.

Quando comentei o ocorrido com um dos diretores, ele explicou:

— Ficou combinado com o diretor da outra cadeia que ela

voltará para cá em três meses. Ninguém conhece os encanamentos daqui como ela.

As da Elétrica cuidam da fiação arcaica que corre por fora das paredes, do quadro de luz antiquado e dão jeito nos curtos-circuitos provocados pelas gambiarras de consertos anteriores. Fogareiros improvisados com uma resistência elétrica que serpenteia nos sulcos esculpidos de um tijolo, tão populares nos xadrezes do Carandiru, estão proibidos na penitenciária, para não sobrecarregar a rede elétrica. A proibição reduz, mas não impede o uso clandestino.

As encarregadas da Saúde dão o primeiro (e às vezes único) atendimento nos postos, que não passam de uma cela, situada na gaiola de entrada do pavilhão, com mesa, cadeiras de plástico, maca e um balão de oxigênio. Ouvem as queixas e distribuem analgésicos comuns, remédios para cólica, controlam pressão arterial, glicemia, agendam consultas médicas e aplicam inalações com oxigênio e broncodilatadores nas que sofrem de asma e outras afecções pulmonares, frequentes por causa da aglomeração, dos fungos nas paredes úmidas e da alta prevalência de fumantes. Problemas mais graves são encaminhados à enfermaria geral, instalada logo na entrada que dá acesso aos pavilhões.

São universais as queixas de falta de medicamentos para suprir as demandas:

— As companheiras chegam aqui com cólicas fortes, enxaqueca que lateja, crise de coluna travada, e o que nós temos para dar? Paracetamol. Resolve? — diz uma das responsáveis.

Para a turma da Judiciária, são encaminhadas aquelas com mais escolaridade. Elas analisam as penas, o tempo já cumprido, os benefícios de direito, os recursos cabíveis e montam os processos para que os advogados da casa encaminhem os pedidos de transferência para o semiaberto, a liberdade condicional ou a libertação definitiva. Algumas conhecem os artigos do Código Penal como se fossem advogadas. Como as que trabalham na Saúde, a categoria é muito prestigiada em qualquer presídio, por razões óbvias.

À equipe da Assistência Social, cumpre a função de encaminhar o caso das que precisam localizar familiares, das mais necessitadas, das que solicitam autorização para ir a enterros de pais ou filhos, mortos por causas naturais ou em enfrentamentos com a polícia, tiroteios ou overdose, tragédias que fazem parte do cotidiano da periferia da cidade grande. Não faço ideia de quantas mulheres vi chorar a morte dos pais ou de um filho.

Quando Maria Evangelista perdeu a filha de doze anos por overdose, queixou-se com amargura:

— Sabe o que o crime me deu? Dez anos de cadeia, levou minha filha por overdose e meus dois irmãos mais velhos numa treta por causa de droga. Nem pude me despedir deles.

As que trabalham na Requisição têm a obrigação de localizar as companheiras convocadas para depoimentos no fórum, transferências para outras cadeias e demais exigências burocráticas, além de dar avisos gerais aos berros, contribuição inestimável para a gritaria infernal.

A cozinha da Penitenciária Feminina é uma instalação industrial capacitada para preparar e servir as 20 mil refeições diárias necessárias ao abastecimento da população da casa e dos homens presos no Centro de Detenção Provisória do Belém.

O trabalho é dividido em quatro turnos de oito horas: das 3h às 11h, das 6h às 14h, das 8h às 16h e das 12h às 20h.

Os alimentos cozidos, arroz, feijão e legumes, são preparados em doze panelas de pressão enormes, que formam duas fileiras paralelas na parte central da área. As frituras são feitas em frigideiras gigantes num cômodo vizinho, azulejado, e as verduras separadas e lavadas em outro.

As refeições são acondicionadas em quentinhas de alumínio

por mulheres posicionadas ao longo de uma linha de montagem. Elas distribuem alimento por alimento nas quentinhas, vedam as tampas, utilizando a mesma máquina de girar que se vê em restaurantes, e depositam uma por uma nas caixas térmicas em que serão distribuídas nos carrinhos. A operação é rápida, limpa e concatenada, como em qualquer cozinha industrial. Em onze anos, nunca testemunhei um surto de intoxicação alimentar ou diarreia coletiva. Estas, quando ocorrem, são causadas por alimentos trazidos pelas visitas aos domingos.

Num salão à parte, funciona a padaria. A farinha é despejada em tachos grandes para o preparo da massa que será levada aos fornos, de onde saem 5 mil pãezinhos por dia. O pão é crocante, bem assado, como o das boas casas do ramo.

A organização fica por conta de uma empresa terceirizada, vencedora da concorrência realizada nos moldes das leis que regem a contratação de serviços públicos.

Cerca de noventa mulheres de uniforme laranja, bota de borracha e touca branca, previamente treinadas, cuidam da manipulação dos alimentos, segundo regras de higiene padronizadas. Para tanto, são remuneradas com um salário mínimo mensal, pagamento que sofre o mesmo desconto de 10% para a poupança e os 22% destinados às que trabalham nos setores internos.

A quantia que sobra pode ficar sob a guarda do Estado — como pecúlio a ser resgatado ao fim da pena —; ser utilizada para pagar alimentos, refrigerantes, guloseimas e produtos de beleza encomendados por escrito à administração, que se encarregará de comprá-los; ou enviada para ajudar os familiares.

A tarefa de entregar de cela em cela as quatro refeições diárias — café da manhã às 5h45, almoço às 11h30, lanche da tarde às 13h45 e jantar a partir das 16h — rende às boieiras cerca de 420 reais mensais. São descontados os dias em que o GIR invade para revistar as celas.

É exigência imposta pelas próprias presas, em nome da higiene, que as boieiras não peguem nenhum objeto do chão e tomem banho com água e sabão antes de distribuir as refeições. Como são quatro, esse também é o número de banhos diários. A falta crônica de água quente no presídio não serve de desculpa para a omissão mesmo nos dias mais gelados do ano.

Dorinha, que entrou para o crime com onze anos de idade, em parceria com um vizinho de treze, aponta uma incoerência:

— Tem que tomar banho antes e não pode pegar nada do chão, mas pode fumar.

De aparência masculinizada, Zezé, presa ao ir buscar a maconha que uma senhora da Igreja Deus é Amor escondia em casa, em troca de trezentos reais por mês, garante que ficou tão habituada aos banhos que, apesar dos quatro diários, não consegue ir para a cama sem tomar o quinto.

Nas cadeias masculinas, homossexuais são proibidos de servir refeições. A justificativa dada por Zé da Casa Verde, assaltante da Zona Norte, mencionei em *Estação Carandiru*:

— Tem cabimento mexer na alimentação caras que fazem essas coisas com a bunda?

Se a mesma exigência fosse cumprida na prisão feminina, faltariam braços para distribuir as refeições.

Informalidade

Às que não conseguem emprego nas firmas nem nos setores, resta ganhar a vida por conta própria. Sem carteira assinada, como elas dizem. A livre-iniciativa é respeitada em todas as atividades, desde o tráfico das drogas que burlam a vigilância à prestação de serviços domésticos.

As que dispõem de recursos obtidos no trabalho das firmas, no tráfico ou nos pontos de drogas que gerenciam ou alugam na rua enquanto presas, podem se dar ao luxo de contar com os préstimos de empregadas domésticas.

Ex-usuária de crack, menina de rua desde que fugiu de casa com dez anos para escapar das surras que ela, os irmãos e a mãe levavam do pai alcoólatra e traficante dependente de cocaína, Nair encontrou nessa atividade um nicho de sobrevivência.

Cobra trinta maços de cigarros Derby — comercializados a sete reais por maço, preço de 2017 — para cuidar da limpeza e vigiar a cela para que nada desapareça.

— Arrumo as camas, limpo o banheiro, tiro pó, bato os tapetes, lavo a louça. Às sextas-feiras arrasto os móveis e esfrego tudo com água e sabão, para receber as visitas no domingo.

Nair começa a faxina assim que as portas são destrancadas, interrompe para o almoço e volta ao serviço. Não lhe sobra tempo para limpar mais do que duas celas por dia, uma de manhã, outra à tarde:

— Presa junta muita coisa.

Pelas duas celas, recebe no total sessenta maços, ou seis pacotes de Derby, ou 420 reais por mês.

— Vem limpo, sem desconto de INSS, sindicato e imposto de renda. É uma fortuna aqui dentro.

Fortuna insuficiente, no entanto, para os gastos com a cocaína que ela consome compulsivamente:

— É uma doença, não consigo parar, vivo endividada. Mal consigo pagar uma, já faço outra.

Há, ainda, diaristas que limpam a cela uma vez por semana, tarefa que lhes rende dez maços de Derbys por mês.

As faxineiras da penitenciária não costumam cuidar das roupas das patroas, atividade exercida por profissionais especializadas como Gislaina, garota de programa que chantageava os clientes com fotografias tiradas por uma câmera escondida junto à televisão do quarto, em conluio com o gerente do hotel.

Para lavar lençóis e roupa de uso pessoal, cobra dez maços de Derby, ou setenta reais por mês. Não há como passá-las; a administração proíbe a entrada de ferros elétricos.

Gislaina gosta do que faz:

— Desde criança eu lavava e passava lá em casa. Enquanto esfrego a roupa no balde, me distraio, a cabeça viaja para o mundo da imaginação: dou entrevista no programa do Gugu, converso com os artistas da novela e ganho concurso de calouro no Raul Gil.

Impedida de trabalhar nas firmas por faltas disciplinares que lhe proporcionaram três temporadas de trinta dias nas celas de Castigo, Vera, mãe de cinco filhos aos 27 anos, sete dos quais passados em prisões, encontrou no crochê um meio de vida.

Diz que entrou no crime por acaso. Caçula de quatro irmãos, não passava necessidade nem lhe faltava atenção.

— Meus pais faziam de tudo para me ver feliz. Não podiam comprar um tênis de oitocentos reais, mas me davam um de trezentos. Minhas roupas eram da hora, meus óculos escuros também. A única coisa que me faltou foi juízo.

Uma noite, encontrou três ex-colegas de escola na porta da casa de um deles, a dois quarteirões de onde morava. Quando se aproximou, os três mudaram de assunto. Curiosa, insistiu, até contarem que estavam prestes a assaltar um restaurante chique em Moema. Iriam num carro roubado que estava estacionado na calçada em frente. Vera pediu para ir junto. O motivo?

— Só para não ficar sozinha e ter que voltar para casa.

Os amigos riram, assalto não era coisa para patricinha. Ficou brava, disse que não tinham metade da coragem dela e que mostraria quem era a filhinha do papai.

Honrou a palavra:

— Em três meses, virei a chefa do grupo. Ficava com 50%, eles com 25% cada.

Foi o primeiro de mais de trinta assaltos a lojas, restaurantes e casas lotéricas, que lhe renderam três condenações, os quinze anos da cadeia atual, foto nos jornais e a vergonha da família.

Enquanto esteve presa em Campinas no ócio de um xadrez com 23 mulheres, pediu a uma estelionatária mais velha que a ensinasse a fazer crochê. Em pouco tempo sua habilidade deixou para trás a da professora.

Na Penitenciária do Estado, esse aprendizado lhe tem sido de grande valia.

— Vivo de fazer jogos de cela.

O jogo de cela é um conjunto de nove peças tecidas com barbante. São três tapetes brancos entremeados com fios coloridos para serem colocados na porta de entrada, junto ao banheiro e no meio da cela; duas colchinhas protetoras, estendidas sobre as duas camas para que possam sentar-se sem sujar os lençóis; três peças para o banheiro, uma das quais para cobrir a tampa do vaso sanitário, outra para rodear o pé do vaso e a terceira sobre o piso, para não pisar no chão frio na saída do banho; além da "boqueta de guichê", a toalha de crochê com dois bolsos que pende na porta das celas para que as boieiras deixem os pães do café da manhã,

A confecção consome três dias inteiros e seis quilos de barbante. Com o quilo a onze reais, o gasto com material é de 66 reais. Compensa, Vera vende seu jogo de cela por 280 reais, ou quarenta maços de Derby.

— Teve mês que fiz cinco jogos. Ganhei 1400 reais. Não tá bom?

Ocasionalmente, alguém encomenda uma colcha de cama, confecção mais trabalhosa, vendida por 450 reais em dinheiro, ou setenta maços de Derby.

Presa em flagrante com meio quilo de maconha, duzentos gramas de cocaína e 150 pedras de crack, Biba veio para a penitenciária pela terceira vez, circunstância que interpreta como fatalidade.

— Depois da primeira cadeia fica muito difícil conseguir emprego. Depois da segunda, então, quando a polícia já te conhece, é quase impossível não voltar.

Quando fala de suas habilidades no tricô, não economiza elogios:

— Aqui dentro, aperfeiçoei meu talento. Não sou dessas que faz tapetinhos, os meus trabalhos são alta-costura. É só dizer: "Eu quero este" e trazer a revista, que eu faço perfeito.

Em busca de qualidade, Biba usa fios de primeira, coloridos, que não desbotam. Leva duas semanas para tecer o "jogo completo", que se diferencia dos demais por revestir até os cestos de roupa, as muretas que separam o vaso sanitário do resto da cela e os muros da janela gradeada.

— Cela com jogo meu vira quarto.

Cobra bem mais do que as outras: entre oitocentos e novecentos reais o jogo completo.

Para lavar uma vez por semana todos os tapetes que formam o jogo de cela, as lavadeiras cobram dez maços de Derby a cada trinta dias.

Joniza tem o olhar irrequieto, mãos grandes, cabelo puxado para trás e sobrancelhas engrossadas com lápis. A baixa estatura é compensada pela agilidade dos gestos que acompanham o ritmo agitado da fala. Veio para a penitenciária condenada a doze anos por causa de uma facada desferida contra a ex-mulher de seu namorado, que, segundo ela, "Não me dava sossego".

Faxineira de um salão de beleza no Jardim Miriam, Joniza se tornou manicure na penitenciária. Em sua cela, sob a janela gradeada, há uma prateleira com dezenas de vidros de esmalte.

Faz as unhas das mãos por quatro maços de Derby, ou 28 reais, preço que cai para dois maços quando o esmalte é fornecido pela cliente. As dos pés custam mais caro:

— No fim de semana, as companheiras que vão receber visita íntima ficam loucas atrás de mim.

São tantas as solicitações nesses dias que é necessário contratar uma ajudante para remover o esmalte velho das mãos e dos pés e preparar as unhas para a aplicação do novo. A cada quatro ou cinco maços que Joniza recebe, paga um para a auxiliar.

Reconhece que seus preços são mais altos que o de suas concorrentes, justificados pela qualidade do serviço e do material utilizado.

— Só uso alicates, tesourinhas e pincéis de primeira. Minha bolsa de material é cheia. A das outras é pobrinha.

Foi árduo o caminho para a fama de boa manicure.

— Quando vim para cá, cheguei a vender meu cabelo, a última coisa que uma mulher vende.

Vender o próprio cabelo para fazer apliques é a alternativa para as mais necessitadas. As compradoras chegam a pagar de duzentos a quinhentos reais, conforme a cor e o comprimento.

Surpreendentemente baratos são os cortes de cabelo: um ou dois maços, no máximo.

Fernanda foi presa em flagrante com a mãe por policiais do Denarc (Departamento de Investigações sobre Narcóticos), que encontraram dois pacotes de um quilo de pasta de cocaína no fundo falso de uma mala guardada no fundo de um armário da casa que uma quadrilha de traficantes alugava para elas, na Vila Jacuí, periferia da Zona Leste. Na penitenciária, conseguiu ficar na mesma cela da mãe, hipertensa e diabética e com uma ferida no pé difícil de cicatrizar:

— Foi sorte ter vindo com a mamãe. Sozinha, ela não ia sobreviver nem em casa nem neste lugar.

Quando chegaram ao pavilhão, Fernanda se tornou "menina do corre", nome daquelas que procuram compradoras para pertences e mercadorias das outras presas.

Vende-se de tudo: sabonetes, desodorantes, cremes de corpo, batons, esmaltes, lixas de unha, roupas, tênis, chinelos, biscoitos, chocolates, refrigerantes e o que mais houver.

Nas vendas maiores, acima de dez maços de Derby, as meninas do corre ganham dois maços, ou 20% de comissão; nas de sabonetes, pasta de dentes, papel higiênico, produtos comercializados por um maço, recebem cinco "palitos", ou seja, cinco cigarros para fumar ou vender por unidade.

As meninas do corre são peças fundamentais para manter o fluxo de mercadorias na cadeia.

Antes de casar, Tonica tinha sido cabeleireira, profissão que abandonou por causa do marido possessivo, que a proibia de pôr os pés fora de casa sem ele, desobediência punida com tapas e safanões cada vez mais violentos. Quando o corpo do ciumento foi encontrado numa viela do Jardim Herculano, na Zona Sul, Tonica foi acusada de ser a mandante. Equívoco dos jurados, segundo ela:

— Só porque o promotor quis provar que eu tinha um caso com o rapaz que atirou.

Na penitenciária, especializou-se em três tipos de tratamentos capilares: relaxamento, progressiva e luzes. Tonica explica que o relaxamento, indicado para o cabelo afro, é realizado com a aplicação de um creme com um ativador líquido, que "solta as raízes mais grossas" e dá consistência aos fios.

Quando os produtos são comprados por ela, o serviço sai por sessenta reais. Se a cliente entra com o material, ela cobra trinta reais pela mão de obra.

A progressiva é um procedimento mais elaborado, realizado em três passos. No primeiro, ela aplica um xampu antirresíduos, lava a cabeça e reaplica o xampu. O segundo passo consiste em aplicar um creme e deixá-lo agir por vinte minutos, antes de lavar o cabelo. Por último, três dias depois, o creme é aplicado novamente e o cabelo lavado.

O tratamento deve ser repetido a cada três meses, até os fios ficarem lisos.

Os produtos para a progressiva e o xampu antirresíduos são enviados pela dona do salão em que Tonica trabalhava quando solteira. Aos sábados, a administração autoriza a entrada de secadores e das pranchas de alisamento.

O alisamento simples, sem a utilização de cremes, custa cinco maços de Derby, ou trinta reais, se for pago em dinheiro. A progressiva é bem mais cara, o preço varia de 150 a trezentos reais, conforme o comprimento do cabelo da cliente. As luzes não saem por menos de vinte a trinta maços de Derby.

Embora aceite maços de cigarro, Tonica dá preferência ao pagamento em dinheiro por meio de depósito bancário, providenciado pelos familiares de suas clientes. Não ocorrem calotes.

O trabalho rende a ela de 3 mil a 3500 reais por mês, investidos numa caderneta de poupança.

— Quantas cabeleireiras da rua ganham tanto?

Custo de vida

As cadeias têm um custo de vida. É mais baixo que o da rua, mas ficar preso não sai de graça.

Na Penitenciária Feminina, as únicas peças de vestuário fornecidas pelo Estado na chegada das presas são uma calça e uma bermuda marrom ou cáqui e uma camiseta branca, do uniforme obrigatório. Calçados, roupas de baixo e agasalhos ficam por conta de cada uma.

Ao dar entrada, elas recebem ainda lençol, cobertor, colcha e travesseiro, cuja reposição é imprevisível no decorrer do cumprimento da pena.

As que não recebem visitas precisam arranjar alguém que lhes compre roupas na rua, ou serão obrigadas a adquiri-las de segunda mão das companheiras que se cansaram de usá-las ou que precisam saldar dívidas. Os preços variam de acordo com o estado de conservação da peça, a oferta, a procura e o aperto financeiro de quem vende.

Mulheres que não trabalham nem sempre conseguem o suficiente para o mínimo. Atendi uma senhora de idade indefinida, presa havia mais de dez anos, com uma micose extensa que começava nas regiões inguinais e descia até o meio das coxas. Prescrevi um creme antimicótico e recomendei que mantivesse a região bem seca.

— Não consigo, só tenho uma calcinha. Lavo, torço e visto outra vez.

Todos os meses, cada mulher recebe dois rolos de papel higiênico, dois pacotes com dez absorventes íntimos, dois sabonetes, dois sabões em pedra e dois tubos de pasta de dente. Qualquer necessidade fora dessa lista corre por conta dela. Xampus, condicionadores, cremes de corpo, batons, esmaltes e outros itens essenciais aos cuidados femininos são comercializados no mercado negro.

Marinilzeia, a Mari, faz parte do lumpesinato da casa. Nascida numa favela de Pirituba, na Zona Norte, conheceu o crack aos treze anos. Aos catorze fugiu com Mazinho, primo distante, um pouco mais velho e usuário como ela. Acabaram na Cracolândia, que naquele tempo começava a se formar nas imediações do cruzamento da rua Helvétia com a alameda Dino Bueno. Três anos mais tarde, Mazinho morreu de "fraqueza e pneumonia", segundo informaram os médicos do pronto-socorro da Santa Casa.

Sem contar com a ajuda do companheiro com quem roubava bolsas de transeuntes e mercadorias nas lojas das cercanias da estação da Luz e da rua José Paulino, Mari começou a se prostituir.

Um dia, apareceu na Cracolândia uma loirinha de cabelo bem tratado, que chegava todos os dias com os livros da faculdade na mochila, passava as tardes ali fumando no meio deles e desaparecia antes de a noite cair, rotina que lhe rendeu o apelido de Cinderela.

Como pagava à vista a droga consumida, era bem tratada e protegida pelos traficantes. Um deles dizia:

— Você não é minha freguesa; é minha cliente.

Com o tempo, os pais desconfiaram dos constantes pedidos de dinheiro, do comportamento agitado e irritadiço e cortaram a mesada. Cinderela contraiu dívida com os traficantes. Por sugestão de um deles, concordou em simular um sequestro para extorquir a família.

Naquela tarde não voltou para casa. Foi levada para passar a noite num hotelzinho das proximidades na companhia de Mari, com quem mantinha um bom relacionamento.

De manhã, os pais receberam um telefonema. Uma voz de homem dizia que não se dessem ao trabalho de procurar a filha, que não avisassem a polícia e que aguardassem uma nova chamada para tratarem do resgate. No telefonema do dia seguinte, o sequestrador pediu 800 mil reais para devolverem a menina com vida, e desligou sem dar tempo de resposta. Cinderela e Mari permaneceram reclusas no hotel, com direito a sanduíches, refrigerantes e algumas pedras de crack "para acalmar os nervos".

O terceiro contato veio na outra noite. O pai respondeu que estava muito abalado com o desaparecimento da filha única, portanto incapaz de raciocinar, razão pela qual passava o celular para o irmão.

Na verdade, Cinderela tinha duas tias do lado paterno e nenhum tio. Quem veio ao telefone para conduzir as negociações foi um investigador da Delegacia de Sequestros.

Mari e dois traficantes foram presos em flagrante no falso cativeiro. Na delegacia, Cinderela negou sua participação na história. Com lágrimas nos olhos insistiu que fora sequestrada no caminho para a faculdade, versão que não convenceu os policiais, mas agradou aos pais e justificou a condenação de Mari: oito anos em regime fechado.

Na penitenciária, consumidora contumaz de cocaína, ela andava com o cabelo desgrenhado, a calça amarrada com um cordão e a camiseta surrada de tanto lavar. De ascendência negra, sofria de anemia falciforme, doença herdada geneticamente que deforma as hemácias e lhe causava dores articulares recorrentes. Toda vez que vinha para a consulta, Mari pedia uma prescrição de Miojo.

Na primeira vez estranhei. Ela explicou com ar de candura:

— Não aguento mais a comida da casa, doutor. Sem uma receita por escrito, o pacote de Miojo não passa pela portaria.

Achei esquisito a direção proibir a entrada de um alimento inocente como o macarrão, mas não vi mal em prescrever os vinte pacotes que ela solicitava.

Na segunda vez, pediu trinta pacotes; na terceira, quarenta. Quando chegamos aos cinquenta, desconfiei. Fui saber com o Valdemar:

— Um pacote de Miojo custa pouco mais de um real no supermercado. Aqui elas vendem por vinte reais.

Lembrei dos ensinamentos de Luizão, diretor da Casa de Detenção nos anos 1980.

— Doutor, quanto mais esperto a gente acha que ficou, mais facilidade eles encontram para nos fazer de tontos.

O maço de cigarros é a moeda corrente nos presídios porque a lei proíbe andar com dinheiro, sob pena de apreensão, cumprimento de trinta dias nas celas de castigo e de ter o prontuário manchado, incidente que atrasa a obtenção de benefícios legais.

Na Penitenciária Feminina, a marca oficial é o Derby, cigarro popular cujo maço, no início de 2017, custava sete reais (dois anos antes valia cinco reais).

A flutuação de preço está ligada a fatores externos. Quando a economia do país vai bem e os índices de desemprego são baixos, as famílias conseguem levar mais cigarros. O aumento da oferta faz cair o preço no mercado interno da penitenciária. Nos momentos de crise econômica e desemprego elevado, como em 2016 e 2017, ocorre o fenômeno oposto, e o valor do maço aumenta.

Às fumantes sem recursos para manter o vício, resta apelar para o "simenrole", cigarro improvisado com as bitucas cedidas pelas que desfrutam de melhores condições financeiras.

Os cigarros contrabandeados do Paraguai das marcas Eight e Minister costumavam ser vendidos pela metade do preço de um Derby. Por motivos que ignoro, o Comando proibiu a entrada de cigarros paraguaios nos presídios de São Paulo.

Considerando o Derby como moeda-padrão, com o valor de um maço podem ser comprados: quatro rolos de papel higiênico ou um pacote de biscoito mais um pacote de salgadinho ou dois sabonetes ou um frasco de xampu ou de condicionador.

A caixa de sabão em pó sai por dois maços de Derby; uma latinha de refrigerante vale dois Derbys; trinta dias de lavagem de roupa custam dez Derbys (um pacote ou setenta reais), o mesmo preço de um quilo de café Pilão; uma lata de azeite é vendida por sete maços de Derby, ou cinquenta reais em moeda.

Artigos de luxo atingem preços estratosféricos: um frasco de Malbec, perfume da marca Boticário, custa quatrocentos reais; um frasco de óleo do Boticário, 120 reais; uma caixa com cinco sabonetes da Natura vale seis maços, ou quarenta reais.

Os preços dos produtos ilícitos, comercializados clandestinamente, também obedecem à onipresente lei da oferta e procura e variam conforme a dificuldade para passar pela revista na portaria.

No início de 2017, os preços praticados eram: 1 g de cocaína = R$ 40,00, ou 6 Derbys, quatro vezes o preço da rua; 1 "balinha" de 0,5 g de maconha = 1 Derby; telefone celular com internet = R$ 3,5 mil; celular Galaxy top de linha = R$ 5 mil; chip do celular = R$ 50,00; carregador = R$ 500,00; fone de ouvido, para garantir privacidade = R$ 250,00.

Quantias menores podem ser pagas com maços de cigarros; as mais altas precisam ser depositadas pela família em contas bancárias de algum parente ou pessoa de confiança.

Agentes penitenciárias

São jovens as funcionárias que guardam os portões internos dos pavilhões. Homens, apenas na chefia de disciplina, no portão monumental por onde passam os caminhões de entrega, naquele de acesso à entrada da galeria central que conduz aos pavilhões e nas gaiolas. Jamais nas galerias internas que separam as fileiras de celas.

A dra. Maria da Penha, que passou a vida como diretora de penitenciárias femininas, explica por quê:

— Funcionário não pode ter acesso às celas, para evitar confusão e, principalmente, para que não sejam vítimas de acusações falsas.

As guardas vestem calça jeans e camiseta polo preta com o distintivo da Secretaria da Administração Penitenciária, uniforme obrigatório. Nos dias frios, os agasalhos ficam por conta do gosto pessoal.

Cabe a elas controlar o fluxo interno das encarregadas dos serviços de manutenção, das que entregam as refeições, fazem o recolhimento do lixo, saem para atendimento médico ou assistência jurídica e das que distribuem as sacolas com os jumbos. Com chaves de um palmo de comprimento, abrem e trancam portões centenas de vezes por dia.

Antes de sair ou entrar na gaiola do pavilhão, as mulheres são revistadas com o auxílio de um detector de metais portátil, igual ao dos aeroportos. Como hoje a posse de armas brancas é proibida por ordem do Comando, esse cuidado tem o propósito de detectar celulares, drogas e outros materiais proibidos.

As escalas de serviço são organizadas em plantões de doze horas. Precedido pela contagem de cela em cela, o período diurno começa às 7h e o noturno às 19h, antecedido pela segunda contagem diária. Nas trocas de plantão, a funcionária do turno só pode ir embora depois de conferir os números e certificar-se de que não houve fugas.

Em onze anos de atendimento na penitenciária, a única fuga de que ouvi falar foi a de Maria do Pó, ocorrida na época da rebelião de fevereiro de 2006, seis meses antes de eu chegar à cadeia.

A polícia atribuía a ela o controle do tráfico em vinte favelas de São Paulo, liderança que lhe valeu a alcunha de Marcola de Saias, referência ao líder supremo do Comando.

Em 1999, quando tinha 45 anos, Maria do Pó ganhou fama nas colunas policiais pelo envolvimento no resgate misterioso de 340 quilos de cocaína que, desde sua apreensão, ocorrida seis dias antes na cidade de Indaiatuba, estavam sob a guarda da polícia civil no Instituto Médico Legal de Campinas.

Procurada pela polícia do estado inteiro, Maria foi baleada na perna e presa numa troca de tiros cinematográfica na Rodovia dos Trabalhadores, que liga São Paulo ao litoral.

Encaminhada à penitenciária, sua estadia foi curta. Em companhia de Tatona, parceira de 28 anos condenada a quase dois séculos de prisão, as duas se misturaram com um grupo de 35 prisioneiras encarregadas da pintura dos pavilhões, atravessaram quatro portões e saíram pela porta principal, em plena luz do dia de uma quinta-feira.

As suspeitas de colaboração recaíram sobre um funcionário que teria recebido uma proposta de 80 mil reais para facilitar a passagem das duas pela portaria. Segundo escutas telefônicas, do total prometido apenas 50 mil reais lhe teriam sido efetivamente pagos.

Maria do Pó e Tatona eram populares e respeitadas pela bandidagem. A fuga foi comemorada com cantorias alusivas ao PCC, gritos e aplausos das companheiras da Penitenciária e de outros presídios femininos e masculinos em várias regiões do estado.

Tatona foi recapturada em 2009 e teria sido alijada das hostes do Comando não sei ao certo por quê. Maria do Pó está há mais de dez anos foragida, e é a única mulher na lista dos dez marginais mais procurados do estado de São Paulo, que oferece recompensa de 5 mil reais por alguma pista que leve à captura.

A admissão das agentes penitenciárias se dá obrigatoriamente por concurso público. Muitas são parentes de guardas de presídios de outras cadeias. A maioria vem de cidades pequenas que não oferecem oportunidades de trabalho, nas quais elas prestaram as provas na esperança de um lugar nos presídios das proximidades. Na distribuição dos cargos, entretanto, costumam ser designadas para servir na capital, onde a disponibilidade de vagas é maior.

Às que não desistem do emprego não resta alternativa senão separar-se da família enquanto aguardam vaga em cadeias da região de origem. A transferência, no entanto, pode levar anos. Com o objetivo de dividir as despesas com o aluguel e a manutenção de um apartamento próximo à penitenciária, formam grupos de quatro ou cinco.

Como o regime de trabalho é de doze horas seguidas em dias alternados, há as que preferem cobrir os plantões da colega de alternância, expediente que as força a trabalhar sem folgas, mas lhes garante cinco ou seis dias livres para voltar ao interior.

Muitas das que moram num raio de duzentos quilômetros de São Paulo vão e voltam de ônibus, dia sim, dia não, para continuar residindo com a família. Argumentam que os gastos com transporte são compensados pela economia com as despesas de moradia na capital. Em contrapartida, aquelas que vêm de cidades distantes, algumas das quais a mais de quinhentos quilômetros de São Paulo, como Presidente Venceslau ou Presidente Epitácio, no extremo oeste do estado, com passagens de ônibus que custam mais de trezentos reais, ficam limitadas a uma viagem por mês, no máximo.

O impacto da separação familiar está longe de ser desprezível. Não são raros os pedidos de demissão das que não suportam as saudades, a agitação, a falta de segurança e o anonimato da vida urbana. Já as desgostosas que não podem prescindir do salário mensal vivem como num gueto, do trabalho para o apartamento, sem outro lazer que não o celular, a televisão e a internet. Sofrem ainda mais as mães, forçadas a deixar filhos pequenos com o marido ou os avós, e as apaixonadas, com namorados deixados à espera no interior.

Há, no entanto, as que se encantam com a liberdade na metrópole, impossível de desfrutar sob a vigilância dos pais, maridos e da sociedade provinciana. Em São Paulo podem levar vida própria, vestir-se como desejarem, sair sem dar satisfações a ninguém, frequentar baladas com as companheiras, conhecer gente nova.

A ampliação dos horizontes traz inconformismo com o estilo de vida anterior, desencontros afetivos e ruptura de laços familiares. Namoros e casamentos menos sólidos não resistem ao distanciamento.

Ao lado dessas transformações, há um segundo impacto: o do universo prisional.

Meninas criadas sob a proteção das famílias e na segurança de comunidades em que todos se conhecem são jogadas no meio de traficantes, ladras, estelionatárias, assaltantes e assassinas profissionais. Consigo reconhecer pelo olhar assustado as novatas que acabaram de assumir seus postos nos portões. A premência pelo preenchimento dos cargos encurta o período de treinamento. A rotina de trabalho será aprendida com as colegas mais velhas.

Eloísa de Azevedo, que foi diretora de disciplina, deu aula num desses cursos de preparação de agentes penitenciárias:

— Hoje está melhor, mas quando foi implantada a Feminina elas tinham apenas três aulas práticas.

Eloísa prestou concurso para agente penitenciária em 1990. Sua carreira é exemplo da mobilidade imposta pela profissão, que a obrigou a trabalhar em diversas cidades do estado, a centenas de quilômetros umas das outras.

O primeiro emprego foi na Casa de Detenção de Marília, cadeia masculina situada a oeste, a 450 quilômetros de São Paulo. No ano seguinte, foi transferida para a Penitenciária de Mirandópolis, a 230 quilômetros de Marília, local em que trabalhou durante oito anos. Em 1999, nova transferência, dessa vez para uma das penitenciárias de São Vicente, no litoral, a 670 quilômetros de onde estava. Em outubro de 2005, depois de quinze anos trabalhando em prisões de homens, veio para a Penitenciária da Capital, que acabava de ser adaptada para receber mulheres. Foi o fim da vida nômade.

O episódio mais marcante da carreira aconteceu em fevereiro de 2006, quando exercia a função de diretora de segurança do período noturno do Segundo Pavilhão, época em que faltavam funcionárias experientes.

Naquela madrugada, o "sinal de luz" foi dado pontualmente às 4h30, medida rotineira em que as luzes do interior das celas são acesas automaticamente para a contagem das prisioneiras, obrigadas a levantar-se da cama, dar o nome completo e o número da matrícula.

— Às 5h40 uma das presas, Cristina, me perguntou a que horas eu e a Tânia iríamos embora.

Eloísa estranhou a pergunta. Tânia era a diretora de segurança do Primeiro Pavilhão, as duas moravam em Santos, e iam e voltavam do trabalho de moto. Que interesse Cristina teria em saber o horário de saída das duas diretoras? Quem trabalha em prisões vive atento a intenções ocultas.

Seus pressentimentos se confirmaram quando uma presa que pertencia ao Comando chamou-a junto ao guichê da cela trancada:

— Dona Eloísa, nós vamos subir a cadeia.

O ambiente estava carregado, de fato. Na véspera, cerca de duzentas mulheres haviam chegado, transferidas da Penitenciária Feminina do Tatuapé. Receberam ordem de deixar seus pertences na sala de inclusão, com a promessa de que seriam entregues nas celas depois de revistados. Passaram a noite à espera deles.

— Estavam com a roupa do corpo. Não tinham escova de dentes, sabonete, absorvente.

Eloísa ligou para a dra. Penha, diretora-geral na época.

Na reunião feita às pressas na sala da diretora, com o pessoal do período diurno que acabava de chegar, Eloísa propôs que as celas permanecessem trancadas, para evitar a sublevação.

Com o argumento de que manter as prisioneiras trancadas serviria apenas para criar mais insatisfações, um dos assessores da diretoria desconsiderou os temores da diretora de segurança:

— Imagina. Você acha que elas avisam quando vai ter rebelião?

Ao abrir a primeira cela do Segundo Pavilhão, as ocupantes arrancaram o molho de chaves das mãos da guarda, destrancaram as demais, impediram as quatro funcionárias de sair, tomaram o Primeiro e o Terceiro pavilhões e começaram o quebra-quebra.

Arrebentaram as portas das celas, destruíram e incendiaram os postos das guardas, com todos os pertences e materiais de trabalho, e agrediram as reféns com pedaços de pau. Muito machucada, Tânia foi amarrada a um botijão de gás que ameaçavam explodir no pátio.

O código de conduta nas rebeliões obriga todas as presas a sair das celas, depredar as instalações e formar um grupo compacto para forçar o portão da gaiola de entrada. Somente as evangélicas que "cuidam da obra" das igrejas são dispensadas dessa obrigação.

Convocado, o GIR postou-se à entrada dos pavilhões, mas os comandantes acharam por bem não invadir, para não colocar em risco a vida das reféns.

Na gaiola do Segundo Pavilhão, Eloísa tentava convencer uma presa a parar de agredir uma das agentes, refém, sentada no chão a seus pés, quando um guarda do GIR se aproximou com a metralhadora apontada para a agressora, ameaçando matá-la.

A mulher não se intimidou, todavia, e a cada ameaça de ser metralhada golpeava novamente com o cabo de uma faca a cabeça ensanguentada da funcionária. Eloísa berrou para que o agente se retirasse do local.

— Nessas horas, tem que manter a calma. Violência é a pior arma para enfrentar a loucura coletiva.

A rebelião durou o dia inteiro. Sem comida nem luz nem água nas celas, as amotinadas decidiram negociar. No fim do dia, permitiram que uma auxiliar de enfermagem e a diretora de disciplina entrassem nos pavilhões.

A reinvindicação era razoável: que os pertences lhes fossem devolvidos. Em troca, a dra. Penha exigiu que concordassem em voltar para a tranca.

Quando todas estavam em suas celas, Eloísa, havia quase 48 horas sem dormir, pediu que a diretora a autorizasse a ir para casa:

— Estou um pouco cansada.

Outro fato inesquecível ocorreria dias mais tarde, quando Eloísa foi chamada por uma colega que recepcionava um grupo de presas transferidas para a penitenciária:

— Dona Eloísa, tem um homem no meio das mulheres que chegaram.

— Homem?

— Sim, senhora. E barbudo.

Na sala de inclusão, a surpresa:

— Tinha corpo de homem e a barba por fazer.

Eloísa se aproximou com discrição:

— Você me desculpa, mas vou ter que fazer uma inspeção sem roupa.

— Não tem problema, senhora. Estou acostumado.

Numa sala ao lado, confirmou que os genitais externos eram mesmo o de uma mulher. Ficou num dilema: não podia encaminhá-lo para uma cadeia masculina nem admiti-lo num dos três pavilhões da penitenciária:

— No primeiro fim de semana ele poderia fugir no meio das visitas. Quem ia desconfiar?

Resolveu, então, deixá-lo numa cela junto às de inclusão, na área à esquerda da porta de entrada que leva aos pavilhões, até que as autoridades da Secretaria o transferissem para um presídio mais seguro.

Não foi fácil impedir a aproximação das outras presas.

— Foi preciso montar guarda no setor em que ele estava. Todas queriam conhecer e ficar com o sapatão de barba. Pediam pelo amor de Deus. Tinha até funcionária que não saía de perto.

A via-sacra à cela do recém-chegado só terminou quando veio a ordem de transferência para uma cadeia do interior em que se encontravam presas mulheres que haviam praticado crimes considerados inaceitáveis pelas demais.

— Ele acabou se casando com uma presa famosa — contou Eloísa.

Valdemar Gonçalves

Nós nos conhecemos quando cheguei ao Carandiru, em 1989. Ele dirigia o Departamento de Esportes da Casa, setor que organizava os campeonatos internos de futebol e os jogos contra os times de várzea convidados para enfrentar a seleção da cadeia, atividades essenciais para diminuir a pressão daquela panela sempre ameaçada de ir pelos ares.

Quando propus iniciar o trabalho voluntário que duraria até a implosão do presídio, treze anos mais tarde, foi difícil convencer a direção de que valia a pena deixar um médico desconhecido reunir os presos num antigo cinema do Pavilhão Seis para falar de aids, epidemia que dizimava os usuários de cocaína injetável, a droga da moda na periferia de São Paulo nos anos 1980.

A resistência era compreensível, primeiro porque intrusos não são bem-vindos nas cadeias; depois, porque levar os homens do seu pavilhão de origem para o Seis criava um vaivém que desorganizava a rotina, dificultava a vigilância e expunha à sanha dos inimigos aqueles jurados de morte.

Não fosse a popularidade e o respeito que a malandragem tinha por Valdemar, o projeto teria fracassado. A estratégia elaborada por ele consistia em destrancar às oito da manhã as celas dos andares daqueles que iriam assistir à palestra e encaminhá-los para o Seis antes que as demais celas fossem abertas. Enquanto os homens se acomodavam no salão, exibíamos num telão cedido pela Unip, a Universidade Paulista, um ou dois clipes com cantores populares, depois projetávamos um vídeo educativo sobre aids, seguido de uma seção de perguntas e respostas a respeito da doença, que eu conduzia com um microfone no meio deles. O número de participantes oscilava entre duzentos e trezentos, às vezes mais. Num show da dançarina e cantora Rita Cadillac, que encerrou um concurso interno para a escolha do melhor cartaz educativo sobre a aids, conseguimos juntar mais de mil homens.

Quem conhece o dia a dia das cadeias sabe que não é trivial a tarefa de acordar ladrão antes das oito, horário em que já deveriam estar vestidos e com o café tomado para caminhar até o Seis.

O problema foi resolvido com uma sugestão de Valdemar:

— No esgano em que esse povo vive, por que não passamos um vídeo de sacanagem no final? Você termina a seção de perguntas, vai embora da sala, para eles não perderem o respeito pelo médico, e eu coloco o vídeo no telão.

— Mas não corremos o risco deles só virem para assistir esse final?

— Não. A programação é um pacote: começou, eu tranco a porta. Abro só para você sair e fecho de novo.

As palestras aconteciam às sextas-feiras. Foram sucesso de público por mais de dez anos. Tiveram o mérito de desmistificar a aids, falar sobre as formas de transmissão e de acabar com o uso de cocaína injetável no interior da Casa de Detenção, fenômeno que precedeu a entrada do crack no presídio. Quando cheguei, em 1989, a prevalência de HIV entre os detentos era de 17,3%. Em 2000 havia caído para 8,5%.

Se a implosão do Carandiru foi um episódio traumático para mim, imagino o impacto que causou na vida de Valdemar e dos funcionários que passaram anos cercados por aquelas muralhas. Nos dias que se seguiram, desnorteado, ele pediu para gozar a licença-prêmio a que tinha direito, período no qual o hoje abstêmio Valdemar bebeu mais do que estava habituado.

Vencida a licença, iniciamos o mesmo trabalho de atendimento médico na Penitenciária do Estado em que atuo hoje, situada na parte de trás da Casa de Detenção, prisão masculina desde a construção nos anos 1920. Eram dias de disputas violentas no sistema penitenciário paulista: esfaqueamentos, decapitações, sequestros de funcionários, depredação de cadeias e rebeliões, eventos no decorrer dos quais o Primeiro Comando da Capital assumiu a liderança e impôs suas leis na maior parte dos presídios do estado.

Em 2004, quando a penitenciária foi desativada para se tornar feminina, Valdemar foi transferido para o Centro de Detenção Provisória da Vila Independência, próximo a São Caetano do Sul, município do Grande ABC situado na região metropolitana de São Paulo. Fui com ele para começarmos tudo outra vez, mas a realidade lá era outra. Aos funcionários, cabia apenas abrir de manhã e trancar no fim da tarde celas que chegavam a conter mais de vinte detentos. O resto do plantão era cumprido na galeria, junto à gaiola de entrada dos raios que davam acesso a elas. Dali para dentro, a autoridade máxima era o "piloto" — o líder de cada raio. Funcionário andar no meio dos presos como no antigo Carandiru, nem pensar.

Os doentes que vinham para a consulta eram previamente selecionados pelos auxiliares do piloto do raio correspondente, segundo critérios pessoais. Sem a autorização do grupo chefiado por ele, preso nenhum ousava ir ao médico.

Depois de quase um ano de trabalho, em que eu atendia os doentes numa mesinha ao lado de uma maca instalada no canto da galeria central, sem nenhuma privacidade, achei que aquele trabalho voluntário iniciado dezesseis anos antes estava desvirtuado. Não vi sentido em continuar. Como os homens, as cadeias mudam com o tempo.

Fiquei seis meses fora do sistema penitenciário. Não fossem os encontros que um grupo de carcereiros do antigo Carandiru, Valdemar e eu repetimos até hoje a cada duas ou três semanas em bares e botequins, meu contato com o universo prisional teria entrado em recesso definitivo.

Sempre ocupado com o trabalho médico, não fiquei infeliz, mas senti muita falta do convívio com o ambiente marginal que havia frequentado por tantos anos.

No dia 10 de maio de 2006, um técnico de som que trabalhava em uma CPI vendeu uma gravação para advogados do PCC na qual as autoridades afirmavam que a cúpula da facção seria levada para o presídio de segurança máxima de Presidente Venceslau.

A informação era verdadeira: no dia seguinte, 765 presos foram transferidos, entre eles os líderes do Comando. A represália foi imediata. No dia 12, homens não identificados atacaram a tiros uma delegacia da Zona Leste de São Paulo.

Nos cinco dias seguintes, ocorreram cerca de trezentos atentados como esse contra delegacias, postos de polícia e presídios, além da depredação de agências bancárias e ônibus incendiados. Em apenas três dias, os presídios paulistas somaram pelo menos oitenta rebeliões e quebra-quebras, com centenas de reféns e muitos mortos. Os ataques se espalharam por várias cidades do interior do estado.

No dia 12, assustada, a população da cidade de São Paulo saiu mais cedo do trabalho e das escolas, produzindo congestionamentos gigantescos. Naquela noite andei pelas ruas do centro;

não fossem as viaturas policiais que passavam em alta velocidade, pareceria uma cidade fantasma.

Dados oficiais estimam que 59 agentes da polícia, alguns familiares, guardas de presídio e até bombeiros foram assassinados. Perdi um casal de amigos, ex-funcionários do Carandiru, à beira da aposentadoria, mortos atrás do balcão do barzinho de propriedade deles, na Vila Maria, apenas por serem agentes penitenciários.

O revide foi rápido e impiedoso, cometido por encapuzados que contra-atacaram nos dez dias que se seguiram. Ainda pela contagem oficial, 505 civis perderam a vida. Não há estimativa de quantos deles eram procurados ou tinham passagens pela polícia.

O governador houve por bem substituir o secretário de Assuntos Penitenciários. Com a mudança, assumiram a cúpula da Secretaria profissionais experientes que eu conhecia da época do Carandiru.

Fui chamado por eles para ajudar na Penitenciária Feminina, que tinha ficado sem médicos depois de rompido o contrato que a Secretaria mantinha com uma ONG encarregada de administrá-la. Pedi que o Valdemar fosse transferido do CDP Vila Independência, para me ajudar nesse trabalho.

Um pouco mais novo do que eu, sua figura é inesquecível. Filho de pai negro, tem pele mais clara, cabelo bem curto e barba branca que chega ao peito, onde a camisa sempre entreaberta deixa ver uma corrente de prata da qual pendem santos, badulaques e patuás, aparência que lhe trouxe os apelidos de Véio, Papai Noel e Bin Laden. Solteirão empedernido, sua vida é no meio de gente presa. Fora desse ambiente dá a impressão de perder a identidade.

Quando alguém lhe conta um caso inverossímil, faz cara de ingênuo, os olhos fixos nos do interlocutor, como a crer piamente no relato apresentado. De repente, com um lampejo no olhar e o esboço de um sorriso faz um comentário que desconstrói a história contada.

Entrada da Penitenciária Feminina da Capital. A porta de cima leva ao setor administrativo; o portão azul, abaixo da escadaria, dá acesso às galerias.

Vista lateral de um dos pavilhões. O presídio abriga mais de 2 mil detentas.

Em uma das galerias, o vaivém cotidiano das presas responsáveis pela limpeza, conhecidas como "faxinas".

Quarto e último andar de um dos pavilhões.

Guarda carrega as chaves maiores, que abrem as gaiolas de acesso aos pavilhões.

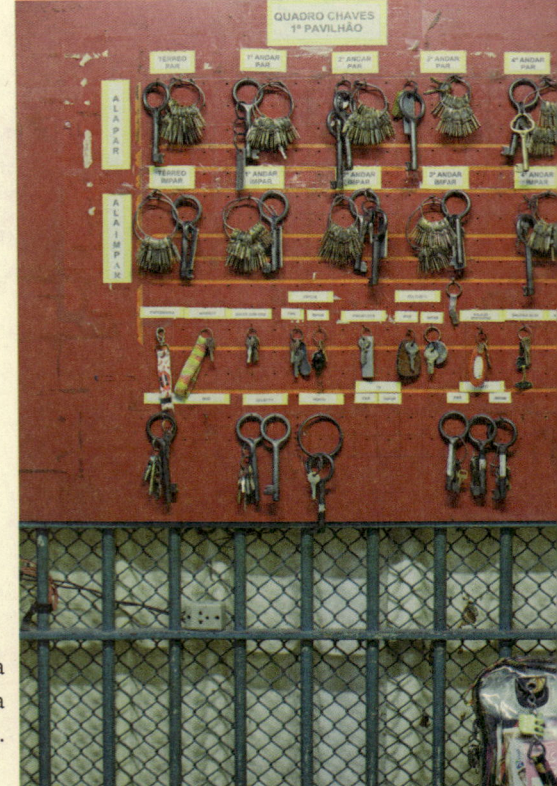

As chaves são organizadas na ordem exata para a abertura dos cadeados das celas.

Cela vista através da grade de proteção que separa os andares. Pendurada na porta, uma toalha de crochê com bolsos para acomodar os pães.

Cada cela abriga duas mulheres.

Puxados por "boieiras", que distribuem o café da manhã de cela em cela, os carrinhos de alimentos rangem pela galeria.

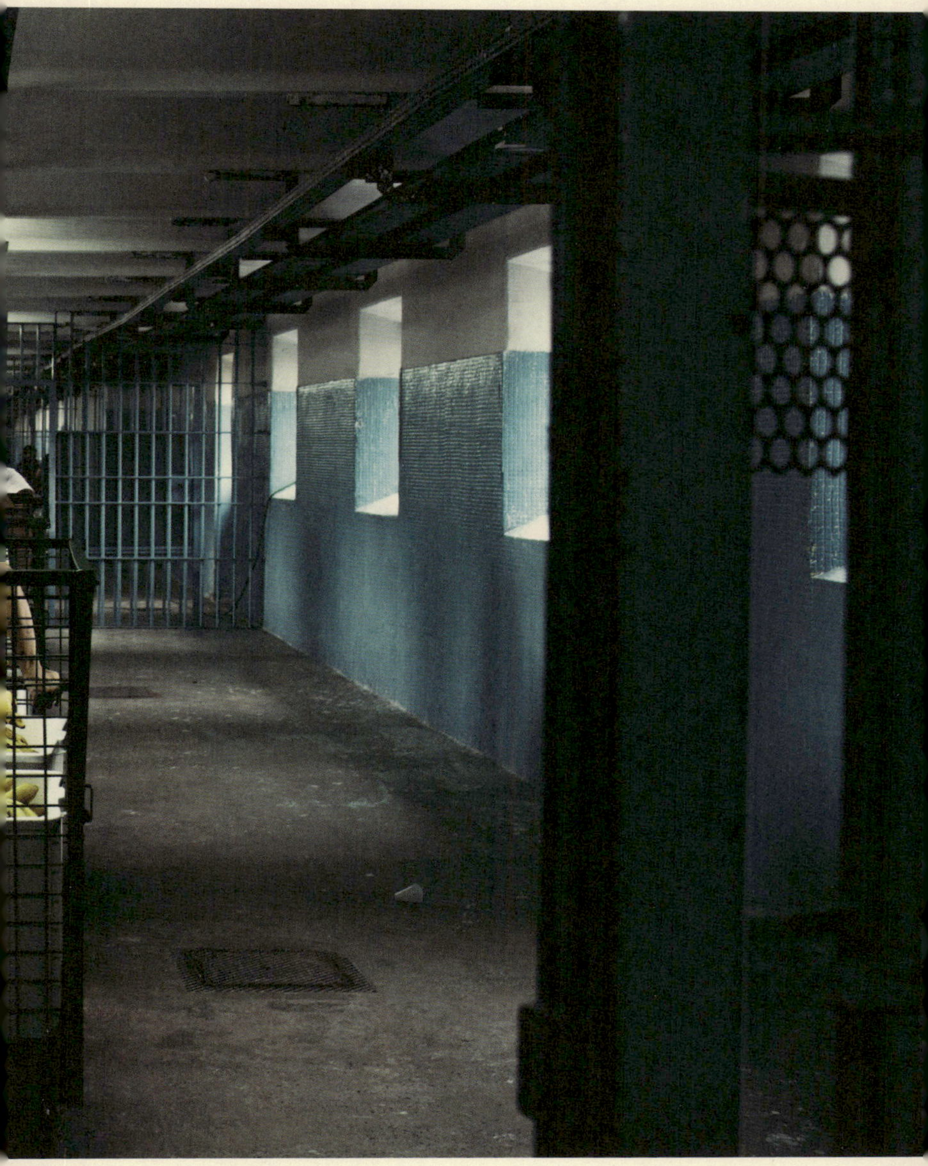

A cozinha industrial da penitenciária conta com três ambientes, e doze panelas de pressão enormes formam fileiras paralelas na parte central da área.

Cerca de noventa mulheres se revezam em turnos de oito horas no preparo dos alimentos.

Mais de 20 mil refeições são produzidas ali diariamente, para abastecimento da população da casa e dos homens presos no Centro de Detenção Provisória do Belém.

Nas oficinas de trabalho, as presidiárias executam as mais diversas atividades manuais e produzem desde produtos de beleza e chinelos até retrovisores, torneiras e conexões plásticas.

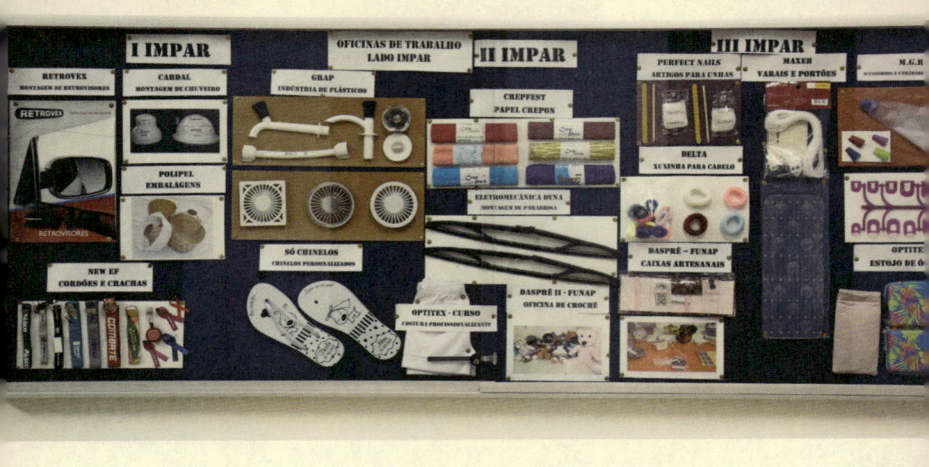

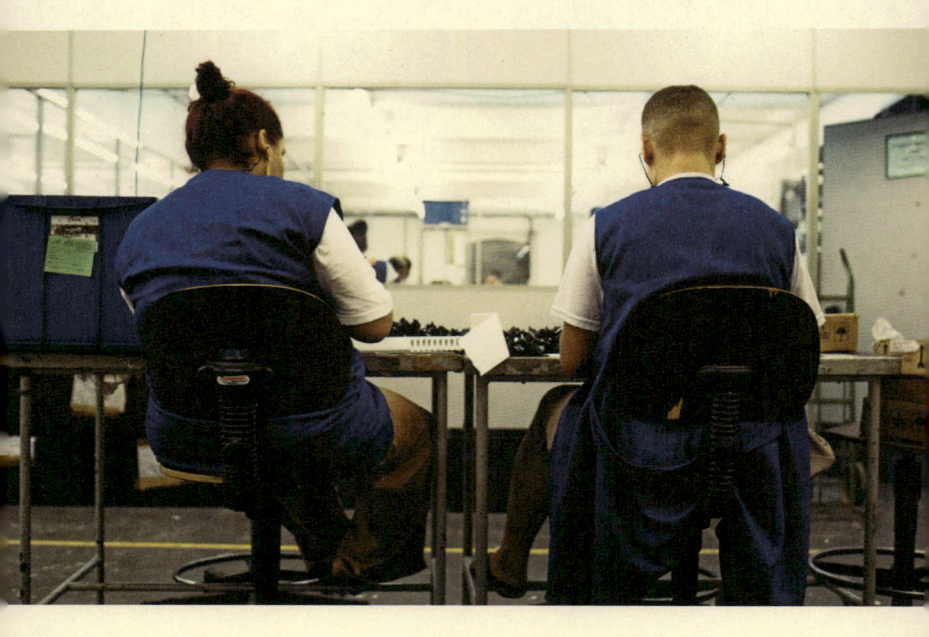

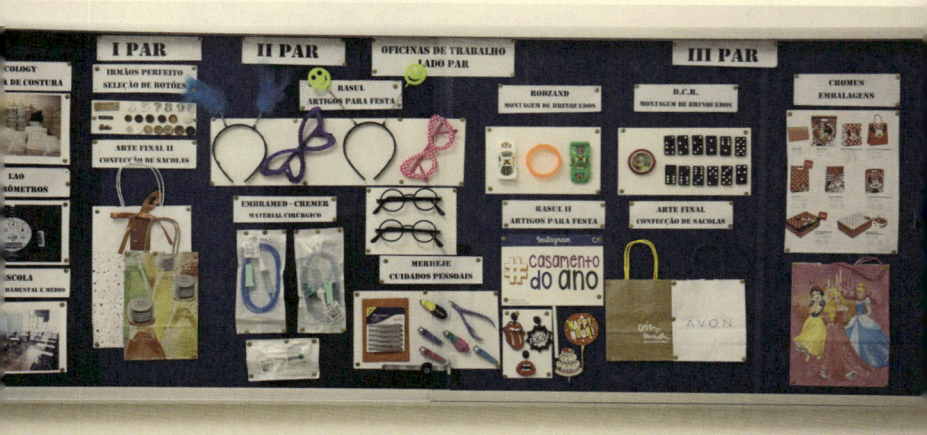

As oficinas já criaram mais de 1500 postos de trabalho dentro da penitenciária.

A caminho das oficinas, as funcionárias que gerenciam o trabalho das presas.

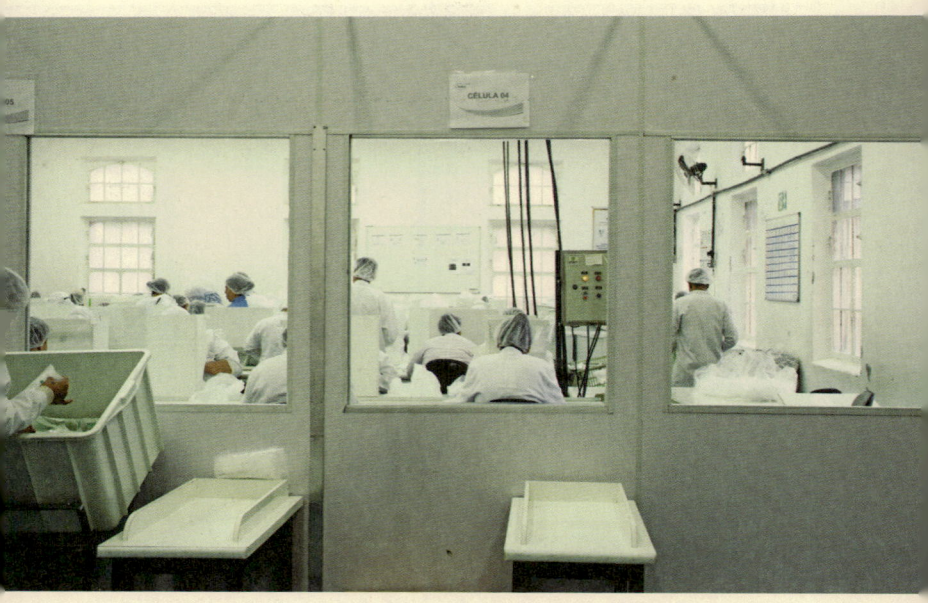

Na montagem de equipos de soro são observadas regras rigorosas para evitar contaminação.

Os pátios são delimitados na frente pela galeria central, nos lados pelos dois pavilhões e ao fundo pela muralha com as guaritas de vigilância.

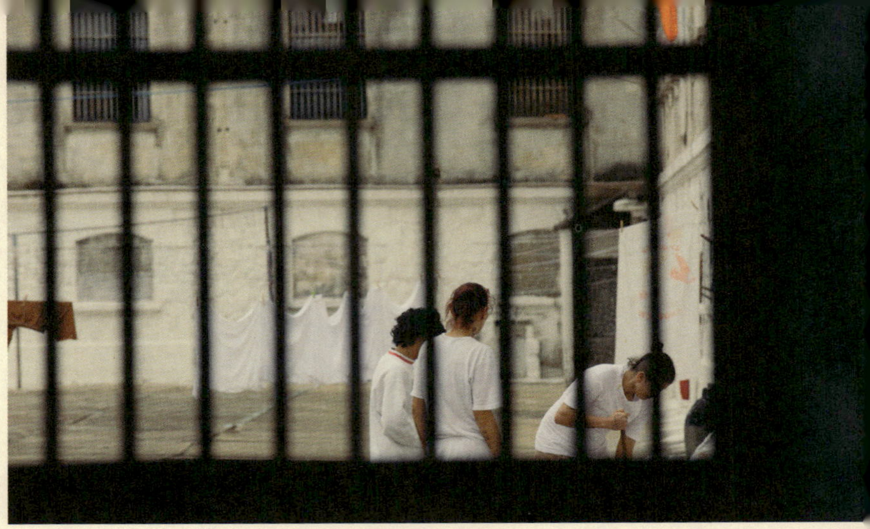

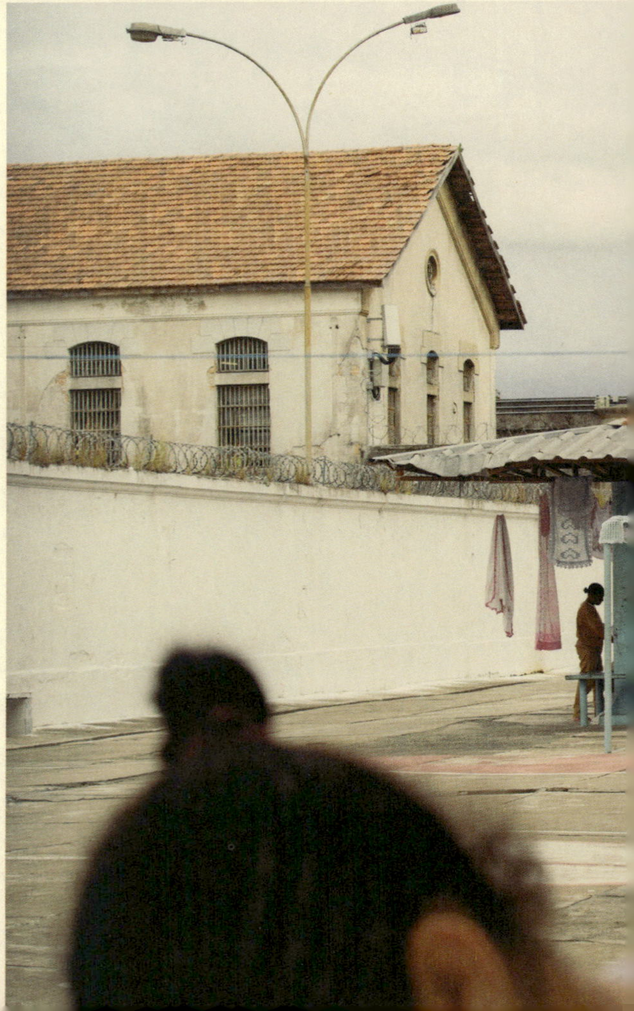

Ocupada por varais para secagem das peças maiores, a quadra de esportes é pouco utilizada. Expor o corpo ao sol e demonstrar afeto físico é proibido pelas presas.

Algumas mulheres lavam roupa para outras presas em troca de maços de cigarro.

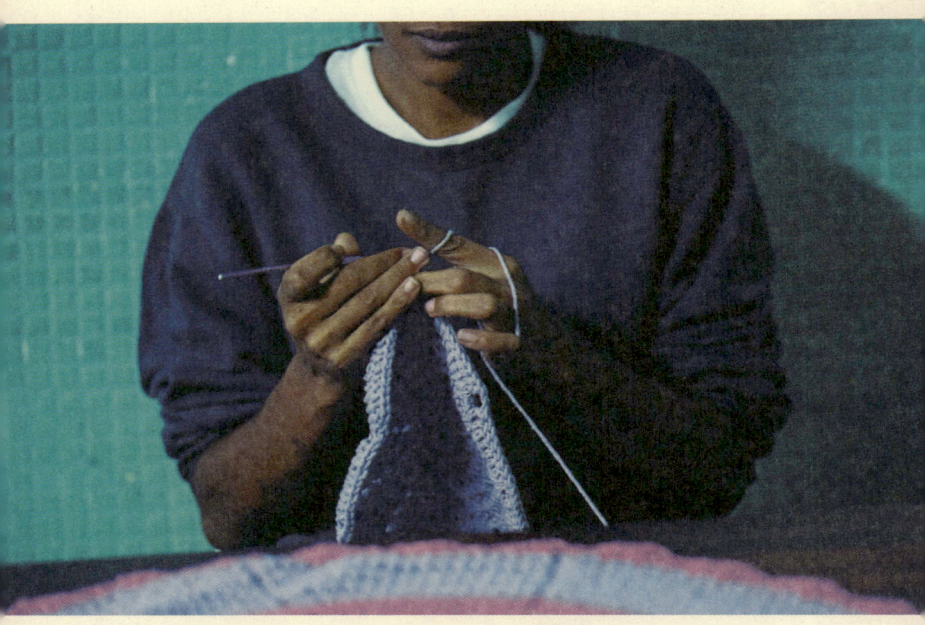

Confeccionar e vender tapetes e outros artigos de crochê é uma alternativa para as que não conseguem trabalho nas oficinas.

Dos superiores hierárquicos pouco se aproxima, mas é capaz de descrever com precisão a personalidade e o modo de agir de cada um. Se na roda em que estamos aparece um desses especialistas em si próprios, faz perguntas bobas com ar de seriedade que expõem oególatra ao ridículo.

É dado a repentes em nossas reuniões em mesa de bar. Contrariado em dia azedo, não fica bravo nem ergue a voz, simplesmente levanta e vai embora sem dizer nada. Nenhum de nós o leva a mal. É ele que mantém o grupo unido, que telefona para avisar um por um a data e o local do próximo encontro e também da nossa festa de fim de ano, comemoração que organiza com responsabilidade e disposição juvenil.

Valdemar chegou à Penitenciária Feminina com a desenvoltura conferida pelos anos de experiência. Em poucos dias conseguiu montar uma sala de consultas na galeria, antes das grades que dão acesso aos pavilhões, organizar a rotina dos prontuários médicos, do encaminhamento das prescrições para a farmácia e da distribuição de cela em cela dos medicamentos receitados.

No primeiro dia, estranhei ele cumprimentar com um beijo no rosto as presas que o ajudavam na burocracia do atendimento. Pressenti que aquilo não ia acabar bem e lhe disse:

— Para com esse beijinho. Você vai ser mal interpretado, seus colegas vão dizer que você dá intimidade para bandida.

Acostumado a me dar conselhos e orientações a respeito dos acontecimentos e da vida na cadeia, ele disse:

— Beijo as mulheres da família, minhas amigas e as que me tratam bem. Não é aqui que eu vou mudar.

— Acho que vai dar problema, mas teimar com você é dar murro em ponta de faca.

Duas ou três semanas mais tarde, Eloá, uma das meninas que trabalhavam conosco, condenada a mais de dez anos por sequestro e tráfico de droga, foi chamada pelas "irmãs" do PCC que comandavam o pavilhão. Queriam saber como ela tinha a "desfaçatez de beijar um polícia numa cadeia do Comando".

Pelo próprio Valdemar, eu soube do acontecido na manhã da segunda-feira seguinte, quando cheguei. Depois de consultar a última paciente, chamei Eloá:

— Estou numa situação complicada. Meu caso foi para a Torre, será julgado hoje à noite.

Os julgamentos na Torre são realizados por telefone celular em consulta aos homens do Comando que se encontram presos em cadeias do estado. As ocorrências encaminhadas a eles são debatidas por testemunhas, defensores e acusadores, com as circunstâncias e as atenuantes analisadas como na Justiça oficial. A diferença é que, dado o veredicto, a sentença será executada sem apelação.

— Eloá, eles me conhecem, posso explicar por escrito que você ajuda as companheiras doentes. Não está certo te castigar por uma coisa tão inofensiva. Ainda mais com o seu Valdemar, funcionário conhecido e respeitado por todos desde os tempos do Carandiru.

Ela agradeceu, não precisava de ajuda:

— Estou no crime há muitos anos. Tenho proceder e um nome feito na rua.

Não aconteceu nada de grave. Apenas recebeu ordem para não trabalhar mais na Saúde.

E o Valdemar?

— Você achou que o problema seria com os funcionários, mas veio de onde eu menos esperava.

Desse dia em diante, continuei vendo Valdemar dar beijinho nas funcionárias que o cumprimentam com simpatia, mas beijar mulheres presas nem por brincadeira.

O relógio

No Carandiru, aprendi que estar no meio dos presos é a melhor forma de ser respeitado por eles. Na maior parte dos anos em que trabalhei lá, as consultas eram realizadas numa sala da galeria do térreo de cada pavilhão, acessível a todos.

Nos últimos anos de funcionamento da cadeia, virou moda o "guenta", procedimento em que um grupo de presos armados com estiletes e facas sequestrava agentes penitenciários e exigia transferência para outras unidades prisionais. A motivação era fugir do confronto com inimigos dispostos a matá-los.

Os funcionários "guentados" ficavam sob ameaça de morte até que o coordenador dos presídios do estado atendesse a exigência. Quando isso acontecia, eram levados até a portaria com a ponta das facas encostada no pescoço até que os rebelados entrassem no camburão estacionado à porta.

A negociação podia durar horas, angustiantes mesmo para reféns com experiências anteriores. Entre os marinheiros de primeira viagem, alguns desenvolviam o que mais tarde os psiquiatras classificariam como estresse pós-traumático; outros pediam demissão.

A situação era particularmente aflitiva no Amarelo, setor de segurança instalado no último andar do Pavilhão Cinco, onde os detentos permaneciam trancados as 24 horas do dia, para evitar ajuste de contas com desafetos. O ambiente não podia ser mais claustrofóbico: galerias com lâmpadas queimadas e celas de seis metros quadrados que chegavam a conter sete ou oito homens. Sem falar nas baratas, sarnas, pulgas, ratos e percevejos que infestavam o ambiente e causavam prurido e infecções dermatológicas generalizadas. Os acessos de tosse que vinham desses xadrezes criavam uma sonoridade ininterrupta.

Como os habitantes do setor eram craqueiros endividados, delatores, estupradores, ladrões que ludibriaram comparsas na partilha do roubo, mataram parentes ou namoraram a mulher de um companheiro preso, a estadia no Seguro havia sido solicitada por eles próprios, enquanto aguardavam transferência para cadeias em que não corressem perigo. A superlotação dos presídios, no entanto, dificultava o atendimento desses pedidos; muitos permaneciam confinados nessas condições por mais de um ano.

A assistência médica a essa população enfrentava a dificuldade de levar esses prisioneiros ameaçados de morte do Pavilhão Cinco para a enfermaria do Quatro. A única possibilidade de fazê-lo em segurança era escoltá-los com dois ou três funcionários, nem sempre disponíveis.

O mais razoável seria ir até eles, solução que propus ao diretor. Ele foi sincero:

— O senhor vai resolver um problemão, mas quem pode garantir sua segurança? A única chance que eles têm de sair de lá é sequestrando alguém.

Durante anos dei consultas no Amarelo em companhia do saudoso Paulo Preto, atendente de enfermagem aposentado do Hospital das Clínicas e funcionário popularíssimo do pronto-socorro do Hospital Sírio-Libanês, que me acompanhou voluntariamente por sete anos nas consultas médicas no presídio. Passávamos horas trancados no setor — nós e Deus, como dizia ele —, atendendo numa cela vazia os pacientes que um preso ia destrancando com o molho de chaves. Chegávamos a consultar, em seis, sete horas, mais de cinquenta pacientes. À noite, quando terminávamos, gritávamos para que os funcionários do térreo fossem lá nos destrancar.

Nunca tive medo. Preso nenhum ousa atacar um médico que presta serviço voluntário, como me assegurou Pernambuco, assaltante de extensa folha corrida, preso no Pavilhão Oito havia mais de quinze anos, o que lhe conferia moral para apitar as finais de campeonato de futebol da casa.

— Pra dar uma de louco pra cima do senhor e do seu Paulo aqui dentro, precisa fazer questão fechada de morrer.

Na Feminina, depois de alguns meses consultando na sala que fica antes da gaiola de entrada do Primeiro Pavilhão, Valdemar e eu passamos a atender numa cela improvisada como consultório na gaiola interna de cada pavilhão. Ele fica com os prontuários, sentado a uma mesinha na porta, chamando as pacientes por ordem de chegada. Na cela, disponho de duas cadeiras, uma para mim, outra para a paciente, e uma maca que não passa da laje da parte de cima do beliche, sobre a qual fica um colchão de espuma coberto com papel descartável. Em cima da mesa, um estetoscópio, o aparelho para medir pressão e a papelada a ser preenchida para a burocracia interna.

No primeiro dia em que atendemos no Terceiro Pavilhão, a líder geral da cadeia — chamada de jet — veio falar comigo.

— Em nome das companheiras, vim agradecer a sua boa vontade. Não é de hoje a sua caminhada. Lhe dou minha palavra que o senhor e qualquer pessoa que venha junto entra e sai desta cadeia a hora que quiser. Nada vai lhe acontecer.

De fato, nunca houve qualquer mal-entendido comigo nem com o dr. Antonio Amaro, diretor da maternidade Santa Joana, que participou do atendimento voluntário semanal durante quase cinco anos.

Nesses 28 anos de voluntariado em presídios, convidei vários colegas para o trabalho. Os poucos que aceitaram desistiram depois de algumas idas à cadeia. A exceção foi Antonio Amaro, que cumpriu com rigor a promessa de dedicar a manhã das segundas-feiras ao atendimento médico das presas, tarefa só interrompida quando se tornou incompatível com as obrigações de dirigir a maior maternidade de São Paulo.

É evidente que no caso de uma rebelião, acontecimento imprevisível por natureza, ninguém está a salvo. No dia a dia, entretanto, sinto-me mais seguro na cadeia do que nas ruas de Tóquio.

Não uso relógio, vejo as horas no celular. Como não é permitido entrar com ele, quando eu precisava colocar no atestado o horário de chegada e saída da paciente atendida, pedia que ela perguntasse ao Valdemar do lado de fora.

Um dia, encontrei em cima da mesa da cela de atendimento um relógio de bolso folheado a ouro que havia pertencido ao pai do Valdemar. Achei arriscado uma relíquia daquelas na cadeia, mas ele argumentou que preferia o relógio do pai em uso do que num fundo de gaveta.

Depois de alguns meses, vi o relógio no armário da sala dele, que só é trancado no fim do dia. Achei perigoso, porque a sala está situada antes da entrada para os pavilhões, na galeria principal, corredor de passagem. Além disso, é parada obrigatória para as interessadas em controlar o peso na única balança disponível na cadeia.

Quando falei do risco, ele disse que não haveria problema. O pensamento era mágico, mas teimar com ele é desperdício de tempo.

Não deu outra, o relógio desapareceu. Fiquei chateado como se o relógio fosse do meu pai.

— Não se preocupe, vai voltar — respondeu com tranquilidade.

Achei que era o maldito pensamento mágico atacando outra vez. Estava enganado. Na segunda-feira seguinte, ao atravessar o pátio de entrada, o dr. Maurício apareceu na janela da diretoria, no primeiro andar.

— Avisa o Valdemar que devolveram o relógio dele. Está comigo.

Passados mais de dois anos, quando as pacientes em atendimento veem o relógio em cima da mesa, no meio da papelada, ainda perguntam se foi aquele o pivô da confusão.

A identidade da autora do roubo foi mantida em sigilo. O que se sabe é que a devolução não foi motivada pelo remorso, como observou Reginão, presa de aparência masculinizada que cultiva um bigodinho incipiente aparado com esmero:

— Eu não queria estar na pele dela, se não devolvesse.

O Comando

Assisti no Carandiru aos primórdios da criação do PCC no início dos anos 1990. Foram dias de batalhas cruentas entre os grupos que disputavam a supremacia na Casa de Detenção e, de forma mais pretensiosa, no sistema prisional paulista.

Numa segunda-feira de 1994 ou 1995, recebi na enfermaria o corpo de um jovem com mais de trinta facadas. O que me chamou a atenção não foi a brutalidade do ataque, prática usual naqueles dias, mas um corte profundo que seccionara de cima para baixo a musculatura do lado esquerdo do pescoço, de modo a expor a base do crânio e a traqueia. Evidente que um golpe daqueles fora desferido depois do corpo inerte.

Quando fiz essa observação, o funcionário a meu lado explicou:

— É a marca do PCC, o Primeiro Comando da Capital. Esses caras ainda vão dar problema para nós.

A facção foi criada em agosto de 1993 por oito detentos aprisionados no Anexo da Casa de Custódia de Taubaté, o temido Piranhão, na época considerado um presídio de segurança máxima para onde eram encaminhados os bandidos considerados mais perigosos e os indisciplinados que provocavam tumultos nas cadeias.

Conheci o Anexo, na época dirigido pelo dr. José Ismael Pedrosa, com quem trabalhei no Carandiru, e que mais tarde seria assassinado numa das ruas de Taubaté. Era um lugar horrível, com os homens trancados 23 horas por dia em celas dispostas ao longo de uma galeria com luzes acesas o tempo inteiro. No interior delas, a cama, um caixote que servia de criado-mudo, um cano de água como chuveiro e o vaso sanitário. O controle da descarga não ficava com o prisioneiro, mas com um funcionário, que passava em horas determinadas do dia para apertar o botão instalado do lado de fora da cela. Os presos não podiam ver televisão, escutar rádio, ler jornais nem revistas ou contar com outra distração que não fosse a Bíblia e a hora regulamentar do banho de sol no pátio interno, antes da qual eram obrigados a sair nus do xadrez para que o carcereiro inspecionasse as roupas, providência que se repetia quando voltavam para outras 23 horas na solidão da tranca.

Quando atravessei a galeria, um preso gritou meu nome. O reconhecimento deu origem a uma sucessão de apelos para que eu me aproximasse dos guichês das celas, ouvisse as queixas e testemunhasse as condições em que viviam. Não foi fácil sair dali.

No ano de 1993, depois de uma partida de futebol disputada na quadra esportiva do Piranhão por aqueles que já haviam saído do regime de isolamento, um grupo de oito presos batizou de Comando da Capital o time em que jogavam.

Esse mesmo grupo formou depois o Partido do Crime, nome substituído por Primeiro Comando da Capital, fundado com a intenção declarada de "combater a opressão dentro do sistema prisional paulista" e "vingar a morte dos 111 no massacre do Carandiru", ocorrido no dia 2 de outubro de 1992. O acontecimento teve repercussão internacional, subverteu a disciplina e afrouxou o controle do Estado nos presídios de São Paulo.

O Comando adotou o número 15.3.3, uma referência à ordem numérica das letras P e C no alfabeto. O símbolo chinês do yin-yang foi escolhido como logotipo da facção, por representar "um modo de equilibrar o bem e o mal com sabedoria". Seus membros assumiram pertencer "ao lado certo da vida errada".

Nos anos seguintes, os líderes do grupo mais radical, que defendiam ações violentas de confronto com o Estado e com os inimigos, foram alijados da facção, acusados de delação e executados pelos companheiros.

Em 2002, dez anos depois do massacre do Carandiru, assumiram a liderança os mais "moderados", que atualmente impõem sua autoridade em todos os presídios femininos paulistas e em mais de 90% dos masculinos. Segundo o Ministério Público de São Paulo, suas raízes se espalharam para as 27 unidades da Federação e até para Paraguai, Bolívia, Colômbia, Argentina e Peru.

A busca da supremacia e do controle hegemônico do tráfico de drogas no território nacional foram as causas das disputas com a facção Família do Norte, no Amazonas e em Roraima, e com o Sindicato do Crime, no Rio Grande do Norte, que culminaram com as cenas macabras de decapitações e esquartejamentos que horrorizaram o mundo no fim de 2016 e início de 2017.

O poder é exercido por uma hierarquia piramidal. Ao líder máximo, está subordinado um colegiado de sete membros encarregados de funções específicas como administração do tráfico, planejamento de ações, guarda de armamentos, lavagem de dinheiro, distribuição dos lucros, contratação de advogados — chamados de "gravatas" —, ajuda material aos membros presos e seus familiares, contribuições assistencialistas às comunidades em que atuam, implantação das normas do Comando, julgamentos e punições por indisciplina, desvio de recursos ou traição.

A cúpula do Comando é formada por profissionais de carreira que se destacaram no mundo do crime. Todos cumprem penas longas em presídios como o Centro de Readaptação Penitenciária de Presidente Bernardes e o de Presidente Venceslau, ambos a mais de quinhentos quilômetros da capital.

Segundo estimativas oficiais, cerca de 80% dos recursos milionários que sustentam a organização têm origem no tráfico de drogas ilícitas; os 20% restantes viriam da venda e do aluguel de armas importadas dos países vizinhos, de assaltos, vendas de rifas de carros, motos e casas pela população carcerária e das mensalidades pagas por seus membros. No vácuo da presença do Estado, controlam diversas comunidades da periferia, onde prestam serviços assistenciais e impõem suas leis com mão de ferro.

Para tornar-se membro do Comando é preciso ser apresentado como "gente boa" por outros três que pertençam à irmandade. Para o candidato ser aceito, os superiores "dão um Google" na folha corrida do pretendente, a fim de verificar se em seu passado consta algum "beó", nome dado aos desvios de conduta no mundo do crime. Homossexuais de ambos os sexos são excluídos; jovens estuprados são admitidos apenas quando mataram o estuprador, se possível com requintes de crueldade.

Depois do batismo, os padrinhos responderão pelas ações do afilhado junto ao grupo. Todos serão tratados como "irmãos" ou "irmãs", devendo obediência cega aos dezesseis itens do estatuto redigido pela cúpula de Presidente Bernardes, um dos quais diz: "O partido não admite mentiras, traição, inveja, cobiça, calúnia, egoísmo, interesse pessoal, mas sim: a verdade, a fidelidade, hombridade, solidariedade e o interesse comum ao bem de todos, porque somos um por todos e todos por um".

Há exigência de fidelidade canina aos estatutos e obediência cega às ordens recebidas, sejam elas cumprir obrigações assistencialistas, burocráticas, participar de assaltos, do comércio de droga ou eliminar desafetos. Traições, delações, apropriações indébitas dos recursos da facção, estupros e outras contravenções graves vão a julgamento pelos membros da cúpula, os únicos com autoridade para decretar pena de morte. Ouvidas as testemunhas de defesa e de acusação, a sentença é executada de imediato. As condenações não prescrevem, o contraventor sempre pagará pelo erro cometido. Na sua ausência, um dos familiares poderá ser punido.

Na cadeia, os irmãos devem colaborar com uma taxa mensal de cinquenta a sessenta reais. Quando libertados, gozam trinta dias de carência, período em que o Comando pode lhes conceder até empréstimos, com juros, ou armas para "colocar a vida em ordem". Passados esses trinta dias, começam a vencer mensalidades que já chegaram ao valor de mil reais, mas no início de 2017 tinham caído para seiscentos reais. Irmãos em melhores condições financeiras colaboram com mais. Presas ou em liberdade, as irmãs estão isentas de pagamentos mensais:

— O Comando considera que a gente tem os filhos para criar.

Toda irmã grávida que estiver em liberdade tem direito ao auxílio-maternidade de trezentos reais por mês.

Ao sair da cadeia, irmãos e irmãs devem "dar baixa no cadastro", providência obrigatória para informar aos responsáveis pela área onde moram o nome completo, filiação, os nomes dos padrinhos que os indicaram, local de batismo e o futuro endereço. O mesmo procedimento é exigido se houver mudança de bairro. Quem não der baixa é tido como infrator, sujeito a punições. Dívidas, atrasos nas mensalidades ou desvios de conduta são considerados "pendências no cadastro".

Os que não têm recursos pessoais nem familiares para arcar com o custo de vida na cadeia recebem ajuda para suprir as necessidades do dia a dia. Suas famílias ganham uma cesta básica todos os meses e transporte gratuito para ir visitá-los nos presídios do interior, num dos ônibus que prestam serviços ao Comando.

Quando a viagem é longa, sem possibilidade de volta no mesmo dia, o pernoite em pousadas e pensões locais será subsidiado.

Na Penitenciária Feminina, como cabe às irmãs resolver todas as querelas e os desentendimentos dos pavilhões, tarefa árdua que exige dedicação integral, não lhes sobra tempo para trabalhar e garantir o sustento próprio e da família. Para compensá-las, o Comando lhes pagava, em 2017, 350 reais por mês.

Mesmo que não façam parte do Comando, mulheres presas há mais tempo e que não recebem visitas podem se valer dos benefícios do "Fome Zero", programa assistencialista que lhes presta uma ajuda ocasional, com alimentos, guloseimas, cremes para o corpo e xampus, em nome da "solidariedade peregrina".

Assaltos a carros-fortes, transportadoras de valores ou bancos, lucros obtidos com o tráfico graúdo, aluguel de armas pesadas e outras ações de rentabilidade mais alta são taxados de forma proporcional ao lucro obtido.

O caminho é sem volta, a adesão ao grupo obriga irmãos e irmãs a permanecer nele pelo resto da vida. Da mesma forma que nas leis marciais das guerras, a deserção é passível de pena capital.

A autorização para "dar baixa" só é obtida se o interessado apresentar motivo de força maior ou alegar conversão a uma igreja. Nessas eventualidades, há que abandonar definitivamente a marginalidade, voltar a trabalhar e adotar um estilo de vida sem deslizes: não pode beber, frequentar bares e casas noturnas, sair com garota de programa, fumar, usar álcool e qualquer tipo de droga ilícita ou usar a gíria da malandragem. Se for preso novamente, terá problemas sérios.

O convertido será vigiado por mil olhos. Quem sai da linha "puxa um bangue" de desertor, beó sujeito a castigo exemplar.

O Comando da Feminina

Como em outras penitenciárias controladas pelo Comando, na Feminina a subserviência às leis estabelecidas pela facção é irrestrita.

Nas alas par e ímpar de cada pavilhão, são nomeadas duas ou três irmãs para os cargos de chefia. Elas se encarregam de fazer cumprir o "Salve", conjunto de ordens transmitidas por celular pelo menos uma vez por semana. Formam o Comando de Saias, ou Comando Cor-de-Rosa.

Numa cadeia em que os relacionamentos homossexuais envolvem a maioria das mulheres, as irmãs devem manter a heterossexualidade a qualquer preço, para evitar o risco de expulsão.

Cada qual assume a responsabilidade por determinada função. A mais destacada é a da jet, espécie de autoridade máxima dos três pavilhões, encarregada não apenas de "sumariar" as disputas interpessoais na penitenciária como de responder às "situações de rua", isto é, participar eventualmente dos julgamentos de réus em liberdade.

Uma "irmã-disciplina" em cada pavilhão fica responsável por cobrar obediência aos estatutos e ordens impostas pelo comando central: proibir a entrada de crack, impedir brigas, fabricação de armas, discussões acaloradas, xingamentos, agressões físicas, extorsões e reprimir qualquer ação ou atitude que possa perturbar a ordem.

Segundo Marcela, mãe de oito filhos antes de completar quarenta anos, presa em flagrante na praça do Patriarca com quinze pedras de crack, às demais sobram poucas opções:

— Para nós, das duas uma: ou você corre com o Comando, ou corre do Comando.

A "irmã-sintonia" é a que recebe o Salve, comunicado transmitido através do celular pelo "sintonia geral das cadeias", cargo ocupado pelo irmão responsável pelo departamento de comunicações do Comando dentro do sistema penitenciário. Em liberdade, os irmãos-sintonia são distribuídos pelas jurisdições de interesse comercial para a organização, nas quais devem ser cumpridas as ordens transmitidas pelo "sintonia da rua".

Dona Francisca, proprietária de um prontuário médico quase tão avantajado quanto o criminal, colecionado em mais de vinte anos cumpridos em outro tanto de passagens pelo sistema, conta como resolveu o problema da sobrinha, que recebera um hóspede inconveniente:

— O tio do marido dela fez um assalto fracassado em Minas e foi se esconder na casa deles em São Sebastião, no litoral. Até aí tudo bem, mas quem diz que o homem ia embora?

O casal explicava que na casinha de dois cômodos e com três crianças não havia espaço nem condições financeiras para estadia tão prolongada, mas as semanas se passavam sem que o intruso arredasse pé ou se dignasse a ajudar nas despesas.

Sem ter a quem recorrer, a sobrinha pediu ajuda à tia num domingo de visita.

Dona Francisca diz que é "comandeira", categoria das que "correm com o Comando", isto é, têm bom relacionamento com as irmãs e respeitam os estatutos do Comando sem no entanto pertencer a ele.

— Conversei com a irmã-disciplina do meu pavilhão, que entrou em contato com o irmão-sintonia da rua, que acessou o irmão-disciplina de São Sebastião.

Dois rapazes apareceram na porta da casa. Educadamente, pediram que a sobrinha chamasse o folgado e disseram a ele:

— Cata teus baguio e te manda.

O tio quis argumentar, estava na pior, sem ter para onde ir, precisava de uns dias para se organizar. A dupla abandonou as formalidades.

— Tá desentendido, meu? É pra sumir agora, se não gostar de morrer.

No final, dona Francisca perguntou:

— Doutor, sabe quando a polícia ia resolver um beó desses?

Na penitenciária, uma das irmãs é escalada para controlar os setores. A ela compete indicar as presas para trabalhar nas equipes que excutam os serviços internos nas seções de faxina, elétrica, saúde, judiciária, assistência social, horta, requisição, cozinha, boia e manutenção.

Na falta de alternativa, a diretoria da cadeia aceita essas indicações — nenhuma prisioneira ousaria candidatar-se a uma função contra a vontade das irmãs.

A única restrição imposta é às que pleiteiam vagas na Manutenção, para as quais a administração exige que a pena a cumprir seja menor que cinco anos. Como têm acesso ao pátio externo, separado da rua apenas pelos dois portões da entrada, é arriscado permitir que mulheres com sentenças a perder de vista se aproximem deles.

Para ser indicada aos setores, não há exigência de filiação

partidária. As irmãs, entretanto, analisam o passado da pretendente.

— Precisa ver se ela tem no currículo algum "bangue em aberto": trairagem, judiação de criança, namoro ou casamento com polícia, caguetagem, dívida, vários assuntos. Tem que examinar na cadeia e na rua, as ideia inteira.

Das que trabalham nos setores, a irmandade exige comportamento exemplar: não podem bater boca com ninguém, faltar ao respeito com as companheiras e funcionárias ou desobedecer às regras de convívio apreciadas pela facção. Não há exigência de comportamento exclusivamente heterossexual.

Se houver insubordinação ou conduta imprópria, a setor será "sacada" da função. Nesse caso, pedirá demissão às funcionárias, alegando motivos particulares, jamais os verdadeiros.

Em resumo:

— Com a setor tem que ser três coisas: o certo, o justo e o correto.

As Ideia, a Torre e o Supremo Tribunal

As irmãs são as juízas dos pavilhões. Têm autonomia para resolver problemas, pequenas disputas diárias e desentendimentos que lhes são levados pelas contendoras com a denominação "Ir pras Ideia", o tribunal de primeira instância.

O processo pode ser aberto por iniciativa das irmãs, para analisar uma falta cometida, ou de uma ou mais presas que se sentiram prejudicadas por atitudes ou ações alheias, ocasiões em que as tentativas infrutíferas de entendimento pessoal são encerradas com a frase:

— Então vamos pras Ideia.

As juízas só chegam ao veredicto depois de ouvir as testemunhas de defesa e de acusação.

Quando a mulher apresenta queixa de uma falta cometida por outra, tem quinze dias para comprovar a acusação:

— O Comando é em cima de testemunho e prova. Se não comprovar no prazo, puxa um bangue de calúnia.

Delatar para as irmãs arbitrariedades cometidas por uma

carcereira é visto com bons olhos. Já as delações de atos praticados pelas próprias companheiras, embora apreciadas e até estimuladas pelas irmãs, são condenadas por todas as presas, como resume Ju, cumprindo pena por ter esfaqueado a rival que lhe roubou o namorado, em São Miguel Paulista, na Zona Leste de São Paulo:

— Aqui dentro não pode xingar, bater nem falar nada, o Comando não permite. Mas, quando a gente encontra na rua, elas puxam um bangue de delatora e apanham pra valer.

As mais velhas se queixam dos meandros burocráticos da justiça atual estabelecida pelo Comando:

— Antigamente, se alguém te roubava não tinha que ir pras Ideia: abria o ringue no ato. Tudo era resolvido na hora, no braço ou na ponta da faca. Hoje a palavra da gente não vale nada, tem que provar com testemunha.

Quando a falta é comprovada, a presa é advertida energicamente para que seja "conscientizada". No relatório que as irmãs enviam aos superiores será comunicado que o problema foi equacionado e que a companheira "conscientizou".

Se a falta cometida for mais grave, o caso é encaminhado, através de um celular clandestino, para a Torre, o tribunal de segunda instância formado por irmãos presos em outras cadeias, encarregados de ouvir as partes e as testemunhas de ambos os lados, até chegar à conclusão final, necessária para a apresentação do Resumo.

A acusada responde ao interrogatório da Torre, e as testemunhas de defesa e de acusação são inquiridas. Muitas vezes a Torre desliga o telefone ou sai da linha para deliberar, mas volta para pedir novos esclarecimentos e a opinião de todos. É necessário ouvir pessoas em liberdade, providência que pode exigir horas ou dias, até retomarem o contato para dar o Resumo: inocente ou culpada.

Se for culpada, é condenada a reparar o erro cometido, levar um quinze ou pedir transferência para as celas do Seguro. Quando a faltosa é uma irmã, pode ser repreendida, rebaixada na hierarquia, suspensa da organização por um ou dois anos, ou excluída em definitivo.

A transferência para o Seguro desmoraliza a prisioneira no mundo marginal, uma vez que nesse setor estão as mais desprezadas: as que têm parentesco, namoraram ou foram casadas com policiais; aquelas ligadas a bandidos de facções minoritárias; as que delataram, trapacearam nas partilhas, contraíram dívidas que não conseguem saldar; maltrataram crianças ou os próprios pais; as "aborteiras" da periferia ou as que ousaram ser infiéis a maridos ou namorados membros do Comando, categorias rotuladas como "lixo" ou "escória". Carregar no currículo uma passagem pelo Seguro colocará a reincidente sob suspeição das companheiras toda vez que entrar numa unidade do sistema prisional.

O quinze é uma pena reservada a quem comete erros de gravidade intermediária. As irmãs não têm autonomia para decretá-lo:

— Para colocar a mão numa pessoa, o caso tem que ir para a Torre. Só ela é que pode decretar o "peguei".

Dada a autorização para "abrir a arena", a ré é levada a uma das celas do fundo do pavilhão, onde três ou quatro justiceiras a agridem por quinze minutos e 33 segundos, tempo que faz referência ao número 15.3.3.

Quando perguntei a uma das irmãs se a agressão precisava ter exatamente essa duração, ela respondeu, sorrindo:

— Não. Ninguém aguenta bater tanto tempo.

Pobre da que ouse queixar-se do peguei às guardas ou à diretoria; será enquadrada no artigo da delação, crime passível de agravamento da pena.

Uma das presas mais velhas lembra da época em que as agressões podiam ser feitas com pedaços de madeira, prática que teria sido proibida depois de um caso de morte. Hoje o peguei é aplicado com os punhos em golpes desferidos do pescoço para baixo, e não apenas para evitar marcas visíveis:

— Não se bate na cara de ninguém. No rosto está a nossa dignidade.

Nas cadeias do Comando ou nas ruas, decretar sentenças de morte é atribuição exclusiva da alta cúpula, instância correspondente ao Supremo Tribunal Federal. A lei "sangue se paga com sangue, vida com vida" é levada ao pé da letra. Quem mata um irmão ou irmã recebe a pena capital, sem direito a apelação. Um irmão que matar outro também será condenado à morte. Ao cometer uma falta gravíssima, o integrante só poderá ser executado pelos companheiros depois de julgado e expulso, como acontecia com os militares em tempo de guerra.

O irmão que desrespeita uma "cunhada" ou tem um caso com ela enquanto o marido ou namorado estiver preso ou ausente em missão do Comando fica sujeito a punições severas.

Anos atrás, uma das irmãs fez um close do sexo e enviou a foto pelo celular para o namorado de uma companheira, preso em outra cadeia. Foi afastada de suas funções e suspensa da facção.

Em respeito à ordem interna, os esfaqueamentos e enforcamentos tão frequentes no passado estão terminantemente proibidos; a execução deve aguardar a libertação da ré. Não ouço mais falar de casos de execução pelo "gatorade", método empregado desde a época do Carandiru. O gatorade das cadeias é uma bebida preparada com suco de frutas e doses letais de cocaína.

Nos casos extremos de traição ou do desvio de recursos da facção, o Comando pode contratar advogados para apressar a libertação da presa condenada à morte, sem que ela desconfie das verdadeiras intenções.

As irmãs que comandam a cadeia são escolhidas a dedo por seus superiores entre as mulheres dos líderes da facção, as que prestaram serviços inestimáveis à irmandade, demonstraram destemor em ações criminosas, ganharam respeito entre seus pares pela conduta ilibada e honestidade com os fundos da organização, as que possuem capacidade de liderança e de convencimento e não mantêm relacionamentos homossexuais. Como regra, são mulheres condenadas a penas mais longas.

O poder e as regalias que desfrutam no ambiente incomodam e revoltam as da velha guarda como dona Albertina, com dezoito passagens por unidades prisionais que lhe roubaram 37 anos de convívio com as filhas, os netos e a liberdade.

— Nós somos a população, o coração da cadeia, mas elas é que comandam. Só que quando uma menina dessas vem com o dedo levantado pra mim, eu mando abaixar: Eu já estava há muitos anos no crime no dia que você entrou no útero da sua mãe.

Não é um mar de rosas a vida das irmãs. Atendi uma com queixas e sintomas característicos do estresse, agravados pelos dois maços que fumava todos os dias. Quando recomendei exercício físico e distância do cigarro, ela disse que era impossível:

— Minha cela vive esfumaçada pelas companheiras que vão lá pras Ideia. É beó o dia inteiro, das oito da manhã até a tranca, principalmente das namoradas que brigam por ciúmes. Não sobra um minuto pra eu cuidar da minha pessoa.

Certa vez, um dos diretores da penitenciária perguntou a uma presa de longa folha corrida por que elas obedeciam às ordens das irmãs, se poderiam expulsá-las dos pavilhões com facilidade:

— Nós somos a maioria esmagadora, expulsar é o de menos. Mas e as nossas famílias lá fora?

Cadeias comandadas

Poder é um espaço abstrato que jamais permanece vazio. O massacre do Carandiru e o aumento explosivo da criminalidade no Brasil roubaram do Estado o controle da disciplina nas prisões.

Como vigiar o que se passa no interior de uma cela preparada para receber dez pessoas, na qual se amontoam vinte homens? Ou num presídio construído para oitocentos, ocupado por 2 mil?

Em São Paulo, em 2002 implodimos a Casa de Detenção, de triste memória, por considerarmos impossível administrar uma cadeia com 7 mil detentos, o dobro da capacidade disponível.

No início dos anos 1990, quando o país mantinha cerca de 90 mil pessoas presas, um terço delas estava detido em São Paulo, que dispunha do maior e mais completo sistema prisional dos estados brasileiros. No interior havia cadeias menores, bem administradas, nas quais os presos viviam em condições mais humanas, que lhes deixavam alguma esperança de reintegração à sociedade.

No entanto, quem levava fama e concentrava a atenção da imprensa era o Carandiru, com suas rebeliões, fugas cinematográficas, corrupção de funcionários, violência policial, conflitos sangrentos entre facções e a inacreditável estupidez criminosa dos governantes que ordenaram a invasão desnecessária do Pavilhão Nove, que resultou no massacre dos 111, noticiado no mundo inteiro.

As autoridades concluíram, então, que a melhor política seria acabar com a existência daquele inferno e substituí-lo por Centros de Detenção Provisória — os CDPs — com capacidade para setecentos a oitocentos homens à espera de julgamento e construir mais penitenciárias pelo interior para os já condenados pela Justiça.

Nas pesquisas daquela época, a violência urbana se tornava a preocupação número um nas maiores cidades do Estado. O clamor da sociedade por segurança nas ruas, pelo aprimoramento e reforço do contingente policial, resultou em um crescimento significativo no número de detenções. Os CDPs incharam até ficar abarrotados. Um deles, conhecido como Cadeião de Pinheiros, hoje funciona com o triplo da capacidade em suas quatro unidades. São mais de 6 mil prisioneiros, número próximo do existente nos sete pavilhões da Detenção implodida.

Conheço o Cadeião, o CDP Vila Independência, onde dei atendimento por cerca de um ano, e outros CDPs. Mil vezes cumprir pena no velho Carandiru, com seus pátios amplos, campos de futebol e a possibilidade de trabalhar e andar pela cadeia, a passar os dias no ócio das celas lotadas de um CDP em que a única distração é jogar bola na quadrinha esportiva espremida entre elas.

Em 2015, a polícia paulista prendia em média trezentas pessoas por dia, enquanto eram libertadas das cadeias 273. A cada dia, 27 novos detentos eram incluídos no sistema.

Naquele ano, o dr. Lourival Gomes, secretário de Administração Penitenciária do Estado, um dos homens mais preparados do sistema penitenciário brasileiro, cuja carreira acompanho desde os tempos do Carandiru, disse numa entrevista: "Considerando que as unidades penais que vêm sendo construídas têm capacidade para cerca de oitocentos presos, chega-se facilmente à conclusão de que, para atender essa demanda, seria necessária a construção de no mínimo uma unidade penal nova por mês, o que ainda não a atenderia por completo".

A partir de 2010, o estado de São Paulo inaugurou mais vinte prisões, projetadas para criar 16 300 vagas novas. Em meados de 2016, elas já continham mais de 26 800 detentos.

Enquanto vigorarem as leis atuais de combate às drogas ilícitas e insistirmos em manter no regime fechado pequenos contraventores que não praticaram atos violentos, nada leva a crer que haverá saída para os problemas da superpopulação que transformaram nossas cadeias em escolas do crime. Pelo contrário: o desemprego, a falta de oportunidades para os mais jovens, a desagregação familiar e as sucessivas crises econômicas enfrentadas pelo país só vão agravá-los.

Boa parte do crescimento populacional nos presídios se deveu à legislação sobre o tráfico de drogas promulgada em 2005, que endureceu as penas. Antes dela, 13% dos presos brasileiros cumpriam sentenças por tráfico. Hoje, no estado de São Paulo esse contingente é de 30% entre os homens e perto de 60% nas cadeias femininas.

O envolvimento com o tráfico fez explodir o aprisionamento de mulheres brasileiras: crescimento de 567% no período de 2000 a 2014. Nesses catorze anos, a população carcerária feminina no país aumentou de 5600 mulheres para 37 mil.

Diante da impotência do Estado para fazer frente a esse desafio gigantesco e impor a autoridade em prisões superlotadas, é evidente que iriam surgir grupos dispostos a exercer o poder sobre a massa carcerária.

Os carcereiros mais antigos que conheço são unânimes em afirmar que nunca trabalharam numa cadeia sem facções criminosas:

— O que não existia era uma que dominasse todas as outras.

Por um processo darwiniano, o Primeiro Comando da Capital demonstrou mais organização, ousadia, violência e profissionalismo do que as quadrilhas rivais. O controle que atualmente exerce nos presídios paulistas de alguma forma se espalhou pelo Brasil e por países vizinhos com importância estratégica para o mercado das drogas ilícitas.

Quais foram as consequências da supremacia do Comando no interior das prisões? Nos tempos em que atendi na Detenção, imperava a barbárie no sistema prisional. Perdi a conta de quantos corpos esfaqueados recebi na enfermaria para atestar o óbito. Eram esfaqueamentos coletivos, desfechados por inimigos ensandecidos e até por transeuntes da galeria, que se juntavam aos agressores apenas por perversidade e excitação mórbida. Num dos corpos, quando cheguei a sessenta perfurações provocadas por facas de biséis variados, parei de contar.

Uma vez em que fui chamado para atestar um óbito ocorrido num dos pavilhões, para não interromper o atendimento da fila que me aguardava na enfermaria, perguntei ao funcionário se o corpo não poderia ser trazido ao Pavilhão Quatro, onde eu me encontrava, como de rotina.

— Não dá, doutor, a situação é meio delicada.

No térreo do Pavilhão Nove encontrei uma roda de presos em silêncio, ao redor de um corpo esfaqueado, com a cabeça decepada atirada na lata de lixo.

Nos dias de revista, enquanto o Pelotão de Choque da PM se perfilava no pátio antes de invadir o presídio, era um perigo passar na frente dos pavilhões, porque os homens trancados nas celas se livravam das facas atirando-as pelas janelas dos andares. Caíam barulhentas às centenas: estiletes, facas, facões e outras do tamanho de espadas.

Apesar da autoridade dos faxinas, que constituíam o grupo

mais numeroso, os desprotegidos sofriam abusos de toda ordem. Iam para os xadrezes mais apinhados, os jumbos com os víveres que a família trazia eram expropriados, sofriam as piores humilhações, abusos sexuais e estupros coletivos. Muitas vezes, para saldar dívidas ou não morrer, assumiam crimes praticados por outros, que acrescentavam ao "laranja" mais dez ou vinte anos de pena a cumprir.

As ferragens mais inocentes viravam armas mortíferas, o presídio era uma fábrica de facas. A primeira providência de um recém-admitido era comprar uma arma. Majestade, que cumpriu trinta anos na casa sem pôr os pés na rua, tinha uma teoria a respeito:

— Todo mundo armado é igual a todo mundo desarmado.

Em 1992, o crack entrou na cadeia. Foi uma devastação. O poder desagregador da compulsão provocada por ele subverteu a ordem interna. Endividados, os detentos vendiam o pouco que lhes restava, exploravam as famílias, chantageavam namoradas e esposas até convencê-las a entrar com droga para livrá-los dos credores, e roubavam celas alheias, ousadia punida com espancamentos, segundo a lei vigente.

— Ladrão que rouba ladrão tem cem anos de perdão, mas quando a gente pega...

Vi assaltantes de banco respeitados por seus pares levarem tapa na cara por inadimplência, a humilhação máxima. O Amarelo, ala que servia de local seguro para os devedores, chegou a ter mais de seiscentos homens, quase 10% da população da casa.

As segundas-feiras, dia de acertar as dívidas com o dinheiro trazido pelas visitas do domingo, ganharam o codinome de Segunda Sem Lei, em analogia a um programa semanal da TV Bandeirantes que exibia filmes de faroeste. Numa dessas segundas-feiras, atestei quatro óbitos por esfaqueamento, ocorridos em quatro pavilhões diferentes.

Ainda assim, seu Antônio, um dos mais velhos da casa, dizia que, comparada à dos anos 1950 e 1960, a Detenção dos anos 1990 era muito menos perigosa.

— Antigamente, juntava cinco ou seis e saía dando rupa, esfaqueando a torto e a direito quem passava pela galeria. Era morte pra todo lado, extorsão, estupro, menino novo vendido como mulher antes de chegar no pavilhão. Em vista daquele tempo, a Detenção de hoje é um parque de diversão.

Da mesma forma, as mais velhas contam que nas cadeias femininas havia abusos semelhantes e até estupros das jovens. Estiletadas, sufocamentos e queimaduras com água fervente faziam parte da rotina. Dona Francisca, que cumpriu pena em diversas unidades do sistema desde os anos 1970, descreve as agruras pelas quais passavam as novatas:

— Bastava o sapatão botar os olhos nela, pra mulher dele dar uma giletada na cara da coitada. Difícil achar uma mais bonitinha sem o rosto desfigurado, só de inveja. O homem vai lá e mata o desafeto, a mulher não mata, prefere ver a inimiga sofrer.

A culpa pelos ataques e assassinatos era assumida pelas laranjas, geralmente mulheres com dívidas de droga, transtornos mentais, fragilidade psíquica ou histórico de infração às leis da criminalidade. A impunidade da agressora perpetuava a violência.

Se o argumento era de que o Comando vinha para "combater a opressão dentro do sistema prisional paulista", não podia falhar justamente nesse quesito. Seus dirigentes tinham anos suficientes de cadeia para saber que a superlotação desumana das celas e os maus-tratos eram agravados pela perversidade das ações realizadas pelos próprios companheiros de infortúnio. Fracassariam caso não fossem capazes de reprimir os comportamentos antissociais das pessoas habituadas a solucionar conflitos através da força bruta — ou à "moda caralho", como costumam dizer.

Era fundamental acabar com tudo o que ferisse a ordem interna: não apenas assassinatos, agressões, facadas, brigas, extorsões e abusos sexuais, mas até discussões acaloradas, xingamentos, ofensas e, sobretudo, a principal fonte de desavenças e tragédias individuais: o crack. A luta devia ser travada contra as autoridades e o sistema, pregavam, jamais entre um prisioneiro e outro.

Com o tempo, o PCC se tornou sobretudo uma ideologia. Para implantá-la num presídio, favela ou bairro periférico basta meia dúzia de irmãos. A estratégia de transferir seus líderes para penitenciárias do interior e de outros estados foi decisiva para disseminar suas ideias e assegurar-lhe o exercício do poder.

Para lidar com a complexidade dessa empreitada, os líderes implantaram um código penal que prevê todas as ocorrências imagináveis da vida no cárcere, sem a necessidade de uma palavra escrita sequer. Com leis claras, "o preto no branco", tribunais ágeis, sentenças rápidas e de execução sumária, conseguiram impor níveis de disciplina interna com os quais o Estado jamais ousaria sonhar.

Na antiga Detenção, quando imaginaríamos que o crack pudesse ser banido das cadeias? Quando a fiscalização conseguiria barrar sua passagem pelas portarias?

As medidas mais repressivas adotadas pelos funcionários mais incorruptíveis poderiam reduzir a oferta, mas acabar com ele seria tão inviável quanto extinguir as cracolândias da cidade de São Paulo por meio de ações policiais.

O Comando realizou essa proeza com relativa facilidade. Bastou enquadrar o uso e o tráfico de crack no rol das faltas graves, sujeitas à aplicação de duas penalidades: fumou, apanha; vendeu, morre.

Graças à lei seca e à tolerância zero, é provável que a Penitenciária Feminina seja hoje o centro de recuperação de dependentes de crack com os índices de abstinência mais altos do mundo.

O código penal draconiano, a autoridade das irmãs, a prepotência de algumas delas, a obediência cega às ordens masculinas que chegam pelo Salve e as regras rígidas de comportamento social restringem liberdades individuais, oprimem e causam descontentamentos velados:

— Aqui é uma ditadura. Elas decidem tudo, ninguém pode contradizer.

Também há queixas contra o materialismo das interações atuais.

— Neste lugar, você não vale pelo que é, mas pelo que tem. Sem celular, pacote de cigarro, jumbo farto ou cocaína e maconha pra vender, sou uma zero à esquerda.

Por outro lado, há as que cobram mais rigidez e desaprovam a frouxidão atual das leis impostas.

— Antes não tinha conversa, era pão, pão, queijo, queijo. O que estragou foi o aparecimento da oportunidade. Na hora de ir pras Ideia, muitas vezes a pessoa é perdoada por falta de prova e a errante passa por acertante.

Apesar das críticas, o reconhecimento das vantagens de cumprir pena em cadeias pacificadas pelo jugo do Comando é unânime.

— Na rua é campo aberto, você pode morrer por qualquer besteira. Aqui, seguindo a ideologia e respeitando o proceder, você vive tranquila.

Bibi, com diversas passagens que já a fizeram cumprir doze anos em regime fechado, compara a situação atual com os perigos enfrentados nos presídios pelos quais passou:

— Hoje em dia você pode dormir na cadeia.

Violência e confinamento

Considerar a redução do espaço de convivência como a principal causa do comportamento violento é visão simplista e equivocada.

Essa crença vem da célebre "gaiola comportamental", que ganhou popularidade nos anos 1960, quando o psicólogo comportamental americano John Calhoun publicou o estudo "Densidade populacional e patologia social", em que relatava seus experimentos conduzidos em gaiolas com ratos. Nelas, os animais tinham liberdade para alimentar-se num comedouro localizado na parte central ou em outros, situados nos quatro cantos.

O aumento progressivo do número de ratos na gaiola provocava aglomeração junto ao comedouro central, embora houvesse espaço disponível nos das laterais. A busca de posições privilegiadas no centro gerava disputas violentas com mordidas, mortes, ataques sexuais e canibalismo, agressões de gravidade crescente à medida que mais ratos eram introduzidos na gaiola.

As conclusões desse estudo caíram como uma luva para explicar a violência urbana que se disseminava nas grandes cidades da época. Entre nós, o aumento da criminalidade em um sistema penitenciário despreparado para acolher tanta gente alimentou o mito da superpopulação como causa exclusiva das agressões, violência sexual, rebeliões e mortes nos presídios.

Ninguém contestou a transposição para seres humanos de resultados experimentais obtidos com roedores em laboratório nem levou em consideração evidências contrárias. Tóquio, por exemplo, com altíssima densidade populacional, estava entre as cidades mais seguras do mundo, enquanto São Paulo, Los Angeles e Chicago, com grande extensão territorial, apresentavam índices muito maiores de criminalidade.

Passaram despercebidos também os estudos do Oregon Regional Primate Research Center, conduzidos nos anos 1970, que descreveram brigas ferozes entre macacos japoneses previamente mantidos em cativeiro justamente quando eram libertados em espaços setenta vezes mais amplos.

Em 1982, os holandeses Kies Nieuwenhuijsen e Frans de Waal publicaram o primeiro estudo a abalar os alicerces da gaiola comportamental. Chimpanzés, nossos parentes mais próximos, soltos numa ilha da colônia de Arnhem, tinham que ser recolhidos num espaço com calefação durante os meses de inverno, que correspondia a 5% da área onde viviam no verão. Fechados, os animais se mostraram mais tensos e irritados, mas não abertamente agressivos. As idiossincrasias e disputas individuais eram acertadas nos meses de calor, na liberdade da ilha, ocasiões em que o número de conflitos dobrava.

Nos anos 1990, quando me inteirei da existência dessa literatura, passei a observar o comportamento dos presos com outros olhos. No Pavilhão Cinco da Detenção viviam 1600 homens — estupradores, craqueiros com dívidas, justiceiros, alcaguetas e outros infratores repudiados pela massa carcerária — apinhados em celas pequenas que chegavam a conter dez, doze homens. Entre 2000 e 2002, por exemplo, houve ali apenas uma morte, número muito inferior ao dos pavilhões menos populosos.

No Amarelo, em celas de seis metros quadrados, cheguei a contar onze homens alojados. Agressões e assassinatos naquelas dependências eram raridade.

A restrição do espaço físico gera três consequências adaptativas em primatas como nós.

A primeira é a perda do valor da força física. Nas ruas, o mais forte bate no outro e vai para casa. Na cadeia, agressor e agredido são obrigados a conviver sob o mesmo teto. Um dos homens mais musculosos que conheci no Carandiru foi assassinado na cela enquanto dormia, por Zé Pequeno, ladrão magrinho com um metro e meio de altura, se tanto.

Assim como entre os chimpanzés, nos agrupamentos humanos a liderança não é exercida necessariamente pelo mais forte, mas por aquele com mais habilidades para formar coalisões.

A segunda consequência da restrição do espaço físico é a contenção de atitudes e atos que afrontam os interesses do grupo. Em liberdade posso escolher se durmo na cama ou no sofá da sala com a TV ligada. Numa cela superlotada meu sono precisa se adaptar às exigências dos outros.

Em *Estação Carandiru*, contei a história de um preso que passara noventa dias numa cela do Castigo, em que os homens dormiam em turnos de oito horas. Um terço deles se deitava no chão, enquanto os demais permaneciam de pé, em silêncio, quase encostados uns nos outros por falta de espaço. Nas trocas de turno podiam urinar no vaso sanitário da cela; esvaziar os intestinos, apenas às quartas e sábados, quando eram liberados para tomar banho nos chuveiros coletivos. Ai daquele que perdesse o controle no dia errado.

A terceira consequência é a necessidade de criar um código

penal próprio, a fim de manter a ordem e evitar a barbárie. No confinamento, as leis devem ser duras, as sentenças severas e sua execução rápida, para ter caráter exemplar. A depender das circunstâncias devem incluir condenações à morte.

Nos países que aplicam a pena capital, há inúmeras evidências de que ela não reduz os índices de criminalidade. Como os estados de direito são obrigados a oferecer ampla oportunidade de defesa para evitar erros judiciários, o intervalo entre a sentença e sua execução costuma ser de anos ou até décadas quando o acusado dispõe de bons advogados. Ao fim do processo, o caso caiu no esquecimento e a execução perde seu caráter exemplar.

Não há desperdício de tempo com recursos jurídicos no universo marginal. A execução do acusado é imediata, muitas vezes no próprio dia em que a falta foi cometida. Erros de julgamento são interpretados como fatalidades inevitáveis.

A agilidade na aplicação da pena torna inequívoca a relação entre causa e consequência. O desfecho inclemente assusta e desestimula a prática de atos semelhantes aos que levaram à condenação.

No sistema prisional, as quadrilhas se formam para oferecer segurança, poder a seus membros e acesso a bens lícitos (alimentos, roupas, produtos de higiene pessoal, cigarros) ou ilícitos (drogas, armas, celulares). Quando uma sociedade não consegue garantir segurança nem acesso aos bens de primeira necessidade, é inexorável o aparecimento de um mercado paralelo e a convergência de interesses comerciais para suprir as demandas sociais.

À medida que o sistema prisional se expandiu e as unidades ficaram superlotadas, o controle do Estado se tornou menos rígido. As penitenciárias paulistas, contraditoriamente, nunca viveram períodos de paz tão prolongados: nenhuma rebelião em 2014, apenas duas em 2015 e uma só em 2016, ainda assim muito menos violentas do que no passado.

Respeitar as visitas, abaixar os olhos diante da mulher do próximo, saldar dívidas assumidas, não roubar nem delatar companheiros, respeitar a palavra empenhada — códigos de comportamento individual cobrados pelos faxinas nos tempos do Carandiru e de outras cadeias da mesma época tornaram-se um conjunto de regras insuficiente para manter a disciplina, porque ineficaz para coibir assassinatos, extorsões, uso de crack e as explosões de violência que subvertiam a ordem interna. E a razão decisiva: não asseguravam à facção dominante o controle das transações mais lucrativas.

A exploração racional do mercado interno exige detentos que saldem dívidas e convivam em segurança no interior de cadeias pacificadas, para que não provoquem convulsões capazes de atrair a atenção das autoridades e de levar à adoção de medidas repressivas que afetem o consumo e desestabilizem o mercado, objetivos interligados que pressupõem conhecimento do sistema prisional, dos anseios e da psicologia de mulheres e homens presos, organização empresarial e autoridade implacável.

Sapatões

A homossexualidade em cadeias de mulheres é tema clássico em filmes, livros e seriados de TV.

Minha experiência na Penitenciária Feminina, no entanto, me ensinou que essas abordagens costumam ser fantasiosas e superficiais, e nem sequer resvalam na complexidade do comportamento sexual feminino.

Relacionamentos sexuais em prisões masculinas podem ser descritos em um único parágrafo. Como o Comando pune com pena de morte, acabaram os estupros a que eram submetidos os mais jovens. Assim, as travestis e os homossexuais das cadeias são aqueles que já o eram em liberdade. Homens que fazem sexo com eles não perdem a fama de heterossexuais. Reduzida à essência, a homossexualidade é considerada condição exclusiva dos que se deixam penetrar.

Já o sexo entre mulheres presas é um tema de complexidade incomparável.

Logo em meu primeiro dia de atendimento na penitenciária,

notei que algumas presas tinham o cabelo raspado dos lados, cortado rente no topo da cabeça e com riscas aparadas nas laterais, à moda dos jogadores de futebol. Vestiam camisetas largas que lhes disfarçavam a silhueta e bermudas compridas, com os pelos das canelas à mostra. Não estivesse num presídio feminino, julgaria serem homens.

Cris tem esse estereótipo. Nasceu em Vila Curuçá, bairro que faz divisa com São Mateus, nos extremos da Zona Leste de São Paulo. O pai ladrão bebia e cheirava cocaína, mistura explosiva no ambiente doméstico, como ela conta:

— Era eu a que mais apanhava. Ele batia mais em mim do que na minha mãe.

Uma noite, um tio, o irmão mais velho da mãe, convidou o cunhado espancador para fumar maconha numa quebrada. Depois de terminarem o baseado e de rirem de uma história dos tempos da infância, o tio comentou que estava prestes a comprar um revólver e pediu para examinar o que o cunhado usava nos assaltos. Foram três tiros na cabeça, para aprender a não agredir mulheres e crianças, conforme sentenciou com a arma apontada para o corpo inerte.

Órfã de pai aos dez anos, a menina arranjou trabalho como entregadora num mercadinho. Ganhava uma miséria. Só melhorou de vida aos doze, quando a contrataram para a função de campana numa biqueira. Comparado ao peso das sacolas que carregava de casa em casa a troco de gorjetas ínfimas, o novo serviço era leve. Ficava sentada numa laje na entrada da favela das sete da manhã às dez da noite, com direito à quentinha do meio-dia e ao sanduíche do entardecer, em troca de dar o alerta à aproximação de estranhos.

Aos quinze anos, comprou um revólver e começou a traficar por conta própria. Vendia de tudo: maconha, cocaína, crack, lança-perfume e Citotec contrabandeado do Paraguai para as que precisavam abortar.

Ganhava cerca de duzentos reais por dia. Levava 150 reais para as despesas da mãe com a casa e os irmãos pequenos e ficava com cinquenta.

— Pude comprar roupa, tênis da hora, relógio e almoçar em restaurante de quilo.

O que sobrava ia para a maconha de todos os dias e para as cápsulas de cocaína que consumia à larga nos fins de semana. Conta ter tido mais de dez desfalecimentos por overdose, em dois dos quais acordou na UTI, entubada, sem noção de onde estava. O último ocorreu num beco de favela tão estreito que só permitia a passagem de uma pessoa por vez. Até hoje não entende como conseguiram retirá-la desacordada do local.

A boneca de pano que o pai lhe dera num arroubo de generosidade no aniversário de sete anos foi a primeira namorada. Às escondidas, beijava-a na boca, uma contava seus dramas para a outra, viajavam para praias e cidades imaginárias e trocavam juras de amor eterno.

Aos dezesseis se apaixonou por Mere. Foram morar num puxadinho na casa da avó materna da companheira, viúva evangélica e solitária que as recebeu de braços abertos, até expulsá-las ao se inteirar da natureza dos laços que as uniam.

Mudaram-se para um quarto e cozinha num cortiço da vizinhança. O relacionamento já durava três anos, quando Cris, desconfiada, saiu no horário habitual para o trabalho na biqueira, retornou uma hora depois, pulou o muro e surpreendeu a parceira, nua, com um primo na cama.

Transtornada, deu com a coronha do revólver na cabeça de Mere e um pontapé que fraturou a perna de apoio do rapaz, desequilibrado, enquanto vestia a calça.

Na Unidade de Saúde para onde correu com a companheira ensanguentada, o policial de plantão, com uma barriga que transbordava por cima do cinto, quis saber o que havia ocorrido.

Ouviu com interesse e comentou com voz soturna:

— Fosse minha mulher, matava os dois.

Cris esteve internada em instituições para menores de idade três ou quatro vezes. Mal completou dezoito anos, foi presa em flagrante com dois quilos de maconha na mochila, que transportava para um distribuidor de Embu das Artes. Foram quatro semanas dormindo no chão de uma cela superlotada, até a transferência para Franco da Rocha, a cadeia mais dura que conheceu.

— Humilhação só serve para deixar a gente mais revoltada. Saí pior do que entrei.

Depois da terceira prisão, resolveu mudar.

— Somando tudo, já tinha passado sete anos presa. Se bobeia a gente passa a vida trancada feito bicho.

Foi trabalhar numa venda, longe das drogas e de Sílvia, a traficante com quem havia namorado na última cadeia e que, em liberdade, teimava em procurá-la, inconformada com a separação.

Num domingo, Sílvia ligou queixando-se de febre alta, tosse e mal-estar. Não tinha quem a socorresse. Duas horas mais tarde, as duas eram presas por três policiais que invadiram a casa de Sílvia, atrás das duzentas pedras de crack denunciadas por um informante. A alternativa seria um pagamento de 20 mil reais à vista. Sílvia ofereceu oitocentos reais, tudo o que possuía. Os homens riram.

Condenada a seis anos e oito meses, Cris veio para a penitenciária, onde ganhou o nome de Johnny. No terceiro dia casou com a mulher atual.

Nas cadeias pelas quais passou, Johnny nunca ficou sozinho mais de uma semana. Ele pertence à categoria mais valorizada pelas presidiárias: a dos "sapatões originais". São raros, segundo dizem não passam de quatro ou cinco em cada pavilhão.

Na rua, as homossexuais são chamadas pejorativamente de sapatões. Na cadeia, essa denominação é exclusiva das que assumem o estereótipo masculino já descrito. Em analogia às travestis das prisões masculinas, consideradas mulheres para todos os efeitos, os sapatões das femininas são chamados de "ele", tratados como rapazes e batizados com nomes e apelidos de homem.

Para ser enquadrado na categoria de original, o sapatão precisa ser virgem de homens, como explica Johnny:

— Tem que ser de nascença. Não pode ter tido filho, namorado, casado ou confessar paixão por homem, muito menos arrepiar quando encostar neles.

Usam top apertado para achatar os seios e vestem cueca, mesmo no período menstrual. Não depilam as pernas, axilas e os pelos do rosto.

O original que se preza sustenta sua mulher, de quem cobra respeito, obediência e fidelidade. Tem vergonha de mostrar o corpo até para o médico, nas consultas é visível o desconforto ao se despir. Ficar nu na frente da namorada? Nem nos momentos de maior intimidade.

Nas incursões disciplinares do GIR, costumam negar-se a tirar a roupa para ser revistados pelas guardas, rebeldia que lhes pode custar trinta dias nas celas de castigo.

Original legítimo, Johnny diz que jamais comenta na galeria suas intimidades sexuais, não se masturba nem admite que a namorada acaricie o corpo dele.

— Se ela tocar em mim, acaba o tesão. Precisa ficar passiva; se vier com a mão no meu sexo, leva um soco na cara.

Seu prazer são os carinhos não sexuais, o beijo na boca, os lábios no sexo da parceira e a excitação demonstrada por ela. O orgasmo dele acontece nessa hora, sem necessidade de toque nos genitais.

O conhecimento da fisiologia feminina é de grande valia.

— Acho o ponto exótico de uma mulher na primeira relação. Na minha mulher atual, descobri em quinze minutos o que mais de vinte homens não tinham achado.

Se as presas ficam sabendo que um sapatão considerado original já teve filho ou caso com homem, é automaticamente rebaixado para a categoria de sapatão "foló", à qual pertencem as que chegam na cadeia de cabelo comprido, mas raspam a cabeça para assumir a postura masculina.

— É só pôr o pé na rua, que deixam o cabelo crescer e voltam à vida de heterossexual.

Tratei uma infecção na cicatriz cirúrgica no abdômen de Jussara. Quando a chamei pelo nome verdadeiro, corrigiu:

— Pode me chamar de Pedrão. É assim que todas me conhecem.

— Sapatão original?

— Não senhor, sou foló, mãe de dois meninos, um de sete, outro de nove anos.

Pedrão tem 27 anos e duas passagens pela penitenciária. Na primeira, foi condenado a quatro anos por tráfico, dos quais cumpriu a metade. A segunda pena foi mais dura: tentativa de assalto a um carro pagador, que resultou em três tiros no abdômen, uma cirurgia de emergência no Hospital do Mandaqui e oito dias algemado no leito da UTI:

— Mais pros lados do inferno que do purgatório.

Na segunda vez em que voltou para a revisão da cicatriz, perguntei qual a porcentagem de mulheres que namoram na cadeia.

— Noventa por cento — respondeu sem pestanejar.

Ao ver meu espanto, reduziu a estimativa para 80% ou 85%, "no mínimo". Sobre sua vida sexual foi claro:

— Como na rua já sou bissexual, não tenho problema de transar com mulher aqui dentro. O que eu acho uma vergonha é o foló receber visita íntima do marido e depois roçar com a parceira. Tem dois assim aqui no Segundo Pavilhão. Antes dos maridos atravessarem o portão da rua, eles já estão de agarra-agarra com as mulheres deles.

Como os outros folós, ele se dá a liberdade de tomar banho e trocar de roupa à vista da companheira. Na cama, seu repertório é variado como o de qualquer casal de heterossexuais, mas com um limite:

— O foló roça, mas não pode rebolar mais que a parceira. Se der essa mancada, fica na mão dela. Se ela contar na galeria, está desmoralizado.

Pedrão se orgulha do fato de nunca ter se aproximado de uma mulher por interesse.

— Se não tiver afinidade, afeto no toque, tô fora. Não sou igual a esses.

Esses aos quais se refere são os sapatões "sacola", heterossexuais na rua que assumem a masculinidade como estratégia de sobrevivência enquanto cumprem pena. A despeito da aparência masculina, às vezes usam calcinha e um top que mais parece sutiã. Assim que libertados, o cabelo volta a crescer e namoram homens.

— O sacola faz qualquer negócio para não trabalhar. Pega de tudo: feia, velha, gorda, não enjeita nada. Só quer saber do jumbo, as compras que ela recebe, e da droga que ela paga pra ele.

São volúveis:

— Quanto mais bonito, mais sacola.

A vida do sacola, entretanto, não é um mar de rosas.

— É um ciúme desgraçado, 24 horas sem sair para o pátio. Mal põe o nariz fora da cela, a parceira já late. Ciúmes de mulher com mulher é o pior de todos.

O sacola tem predileção especial por mulher de criminoso com boas condições financeiras.

— No passado, ele morria na rua. Hoje em dia a mulher nega que teve caso com o sapatão, e o ladrão prefere acreditar na mentira dela.

O sapatão "chinelinho" é outra categoria de mulheres heterossexuais que assumem o estereótipo masculino na cadeia.

— É só ir embora, que ele calça o chinelinho de cristal e vai atrás do príncipe encantado.

Em liberdade, o chinelinho deixa o cabelo crescer, pinta os lábios, depila pernas e axilas e reassume a heterossexualidade.

— Se você encontra com eles na rua e chama de Zelão, Chico ou Marcão, o nome que tinham na cadeia, eles fecham a cara: meu nome é Aninha. E viram as costas pra gente.

Entre os sapatões, a categoria mais desprestigiada é a dos "badaroscas", denominação de origem incerta empregada para classificar os que, além de sustentados pelas parceiras, vestem calcinha e fazem de tudo na cama. Aceitam até penetração anal com banana e outros objetos.

— O badarosca é um viado preguiçoso. Passa o dia esparramado na cama escutando música e vendo novela: benzinho pega um copo d'água, traz um biscoito, coça as minhas costas.

E ainda:

— É fuxiqueiro, galinha e interesseiro, passa a mulher pra trás e larga dela assim que arranja outra com mais dinheiro. Não tem atitude nem respeito.

A expressão máxima do desprezo está reservada para aqueles denominados "badarosquinhas".

— Não valem nada, se pudessem faziam até programa na cadeia. Se é que alguns não fazem.

Existe ainda o sapatão "pão com ovo", tipo que não consegue definir se prefere homens ou mulheres.

— Ele não sabe o que quer. Não sabe se prefere ovo mexido ou frito. Acha que está abalando, mas é um maria vai com as outras.

Originais, folós, sacolas, chinelinhos, badaroscas, badarosquinhas e pães com ovos têm em comum apenas o estereótipo masculino que encanta as mulheres na prisão. Podem ter quantas quiserem, são respeitados. Só não lhes é permitido namorar uns com os outros:

— Sapatão com sapatão? Tá louco, é pederastia.

Entendidas

Na penitenciária, relacionamentos homossexuais são tão frequentes que permanecem celibatárias apenas as senhoras de idade e as batizadas pelo Comando, que pune com a expulsão a irmã flagrada com outra mulher. Ainda assim, insinuam as más-línguas, algumas se arriscariam na calada da noite.

Mulher nenhuma é forçada a manter relações amorosas não consentidas:

— Se não tiver uma química na troca de olhar, já era.

Respaldada por uma folha corrida que lhe rendeu mais de trinta anos de cadeia, entre idas e vindas, dona Sueli conta que nem sempre foi assim e que no passado havia estupros nas prisões femininas. Ela mesmo testemunhou o caso que envolveu Jacira Negão, com quem dona Sueli disputava a liderança numa cela coletiva de um Distrito Policial da Zona Norte.

— A Jacira era tão folgada que ocupava duas camas, uma só para espalhar as coisas dela, enquanto três companheiras dormiam no chão.

Uma noite dona Sueli acordou com vozes abafadas vindo do banheiro. Jacira Negão havia atraído para lá uma jovem recém-chegada, com a intenção de forçá-la a fazer sexo oral nela.

— Pulei da cama com o estilete na mão.

Foram duas estiletadas no ventre da estupradora, seguidas de socos e pontapés desferidos pelas colegas de cela despertadas pela algazarra. A hoje falecida Jacira Negão foi parar no pronto-socorro. Dona Sueli tomou posse da cama da rival e assumiu o comando da cela.

— Se homem que estupra deve morrer, mulher estupradora também merece.

Quando a química acontece, as parceiras solicitam mudança de cela para morar juntas, providência nem sempre simples, uma vez que depende da boa vontade das companheiras com quem dividem o xadrez. As funcionárias não se intrometem, como diz João Almir, um dos diretores de disciplina, encarregado do Pavilhão Nove quando ocorreu o massacre:

— Se as envolvidas estiverem de acordo, para nós tudo bem.

Durante as consultas médicas, há as que falam com desprezo daquelas que namoram com mulher, mas o fazem em voz mais baixa, como se as paredes tivessem ouvidos. Posturas moralistas são malvistas num ambiente em que a prática homossexual é livre e aceita com naturalidade, desde que não haja beijos na boca nem carícias sensuais nas galerias. Nos dias de visita, então, a discrição é cobrada com rigor máximo:

— Nem na mão pode encostar.

Atendi uma moça negra de nome Dannyella, alta, cabelo curto, rosto afilado e lábios grossos como os das máscaras africanas. Seu rosto bem talhado me lembrava a escultura *La Négresse blonde*, do escultor romeno Brancusi, imagem que me vinha à lembrança todas as vezes em que a encontrava. Queixava-se de que os sintomas da tuberculose tinham voltado um ano depois de um tratamento incompleto iniciado na enfermaria do COC, Centro de Observação Criminológica, unidade hospitalar situada no complexo do qual a penitenciária faz parte. Estava emagrecida, febril, com os olhos fundos, visivelmente debilitada.

Expliquei que iria transferi-la outra vez para o COC, oportunidade derradeira para completar o tratamento com disciplina e supervisão médica, a fim de evitar o aparecimento de bacilos resistentes e agressivos que a levariam à morte, discurso propositalmente assustador que comecei a fazer 28 anos antes, quando perdi os primeiros doentes com tuberculose multirresistente no auge da epidemia de aids no Carandiru.

Respondeu que já esperava a transferência, mas estava muito preocupada com a próxima da fila, sua companheira de cela, Vanusa, que manifestava os mesmos sintomas. Pedi que a companheira entrasse, enquanto eu preenchia a papelada da internação.

Vanusa se queixou de tosse, dores torácicas, febre, sudorese noturna e dos demais sintomas de Dannyella, com a diferença de que era uma mulher exuberante, com o cabelo oxigenado até as raízes, seios com prótese e olhar sedutor. À ausculta, os pulmões estavam melhores do que os meus. Tive certeza de que fingia.

Quando falei que para ela pediria apenas um exame de BK no escarro, não se conformou. Alegou estar muito mal, poderia morrer se não fosse para o isolamento com a companheira.

— Você não está doente. Médico nenhum vai interná-la no meio de pacientes com tuberculose.

Ela ainda quis argumentar, mas Dannyella a interrompeu:

— Meu amor, ele tem razão. Falei que não ia dar certo. O problema, doutor, é que nós não sabemos viver uma sem a outra.

Três ou quatro semanas depois, Dannyella voltou.

— Tanto implorei, que me deram alta para continuar com os remédios no pavilhão. Não aguentava mais de saudades.

Encerrado o tratamento, perdi contato com as duas. Meses

mais tarde, encontrei Dannyella completamente restabelecida, sozinha na galeria, e perguntei da companheira. Estava desolada: Vanusa tinha recebido o benefício do semiaberto, de onde se evadiu, voltou à profissão de garota de programa, participou de dois assaltos com um namorado e acabou presa na região de Campinas.

Quatro ou cinco anos depois desse encontro, quando a última paciente saía da sala de atendimento, Valdemar anunciou uma visita. Era Dannyella, que passara três anos em liberdade até cair numa emboscada da polícia com mais de oitocentos gramas de crack, ocasião em que só se entregou depois de levar um tiro no braço.

Vinha com a nova namorada, dez anos mais nova que ela, ruiva de pele, rosto cheio de sardas, acusada de ter esfaqueado a mãe do ex-noivo.

— Uma megera que tanto fez que conseguiu afastar ele de mim.

Dannyella encostou o braço no da companheira.

— O senhor não acha que a minha pele negra combina com a dela, pintadinha?

O caso de Dannyella e Vanusa não foi exceção, a maior parte das relações termina quando uma das companheiras é libertada e retoma a vida heterossexual. Para ela, a homossexualidade não passou de uma fase transitória, restrita ao ambiente prisional, segredo que jamais chegará aos ouvidos dos homens com quem vier a se relacionar.

Há mulheres, no entanto, que descobrem na companhia da amante solidariedade, compreensão, cumplicidade, carinhos e prazeres sexuais que jamais experimentaram nos relacionamentos com o sexo oposto.

Julinha cresceu no Jardim Ângela, engravidou pela primeira vez aos quinze anos e a terceira aos 25. O pai de seus filhos era assaltante com diversas passagens por distritos policiais. Saía de casa sem dizer nada e voltava, drogado, quando bem entendia.

Pobre dela se reclamasse. Apanhou dele tantas vezes que chegou a dar graças a Deus ao receber a notícia de sua prisão.

Uma das leis mais discricionárias e odiosas do mundo do crime é a ameaça de morte que mulher de bandido sofre caso o abandone na cadeia. Evidentemente, a recíproca não é verdadeira: o machismo egocêntrico confere ao homem o direito de esquecer a companheira, mesmo quando está presa por um crime cometido por ele.

Coagida, Julinha cumpriu com rigor a rotina de visitá-lo aos domingos em Sorocaba. Os gastos com a viagem e o constrangimento ao passar pelo boxe de revista, no entanto, não eram os sofrimentos maiores.

— O pior era ter relações com aquele homem estúpido que me maltratava. A única coisa boa era o dinheiro que ele conseguia traficando na cadeia e a cesta básica que o Comando mandava todo mês.

Numa dessas visitas, Julinha não o encontrou no pátio como de hábito. Em lugar dele, um amigo veio avisar que o marido não poderia recebê-la porque estava muito gripado. Ela forçou passagem até a cela e o surpreendeu com uma menina de dezenove anos, do bairro em que moravam.

Com o pretexto de que a mulher criara um problema com os companheiros, por causa do escândalo que fizera, em flagrante desrespeito ao dia de visita, ele considerou tudo acabado entre os dois e parou de mandar dinheiro. A cesta básica, porém, não foi suspensa.

Julinha bateu na porta de um amigo de infância que traficava. No princípio ele lhe negou emprego, não queria vê-la nesse mundo, mas quando soube das dificuldades com as crianças mudou de ideia.

A carreira foi curta, truncada por uma condenação de quatro anos. Os filhos foram espalhados em casas de parentes.

Na penitenciária, Julinha caiu na cela de Pati, recém-chegada como ela, auxiliar de enfermagem de profissão e mãe de duas meninas: a primeira com o ex-marido que bebia e a outra com um namorado que lhe jurava amor eterno, até desaparecer quando soube da gravidez.

Nascida no Belenzinho, num sobrado de classe média, Pati admitia que não tivera a menor necessidade de envolver-se com um golpista vinte anos mais velho, especializado em abrir lojas com documentos falsificados, comprar dos fornecedores mercadorias em consignação, para sumir com elas na carroceria de um caminhão na calada da noite.

As duas tinham em comum a falta de experiência na marginalidade, a primeira pena a cumprir, as saudades dos filhos e as agruras vividas com os homens, quesito no qual a auxiliar de enfermagem ficava pouco a dever.

Entenderam-se muito bem desde o primeiro dia. Eram generosas na divisão das tarefas na cela e dos alimentos que as famílias traziam, respeitosas com o espaço individual e o descanso da outra, e não usavam cocaína, a qualidade de convivência mais valiosa.

Em poucas semanas conseguiram emprego numa firma para montar tomadas elétricas, atividade exercida na mesma bancada. Andar o tempo todo juntas lhes valeu o apelido de Cosma e Damiã.

À noite conversavam até tarde.

— Eram horas e horas falando da infância, dos filhos e da família, dos artistas da novela, das coisas boas e ruins que cada uma de nós passou. Nunca tive tanta intimidade com uma pessoa.

Segundo Julinha, aconteceu pela primeira vez na noite de um sábado em que desabava um temporal no telhado da penitenciária.

— Comecei a pensar se as crianças estariam bem, e tive uma crise de choro. A Pati sentou na minha cama, pegou minha mão, enxugou minhas lágrimas e acariciou meu rosto. Cheguei para o lado e ela deitou. Quando dei por mim, estávamos abraçadas.

A última vez que vi as duas, vieram eufóricas, à espera da transferência de Julinha para o semiaberto e da libertação definitiva de Pati, benefícios já assinados pelo juiz, segundo o advogado que as defendia.

Tinham planejado o futuro. Assim que Julinha saísse do semiaberto iriam viver juntas e criar os cinco filhos na casa de Pati.

Ir para a cama com homem?

— Nunca mais — responderam ao mesmo tempo.

Como dissemos, sapatão é o nome reservado aos que assumem fisicamente o estereótipo masculino. As mulheres que mantêm relações sexuais com outras sem abandonar a feminilidade são chamadas de "entendidas". É o contingente mais numeroso.

Da mesma forma que entre os sapatões, há diversidade entre as entendidas. Em linhas gerais são divididas em três grupos: ativas, passivas e relativas.

A característica mais importante da entendida ativa é a de não sentir desejo por homem. Ao contrário do sapatão original, em que a virgindade é requisito imprescindível, as ativas podem ter sido casadas, tido filhos ou namorado homens, contanto que no presente não recebam visita íntima e assumam um comportamento estritamente homossexual.

Cabe a elas a abordagem da futura namorada e a iniciativa do contato sexual. Vestem calças apertadas e procuram as mulheres que lhes parecem mais atraentes. Para ser respeitada, a ativa deve sustentar a companheira com cigarros, doces, droga, refrigerantes e comidas que quebrem a monotonia da alimentação servida na casa. Em contrapartida, suas mulheres lhes devem reconhecimento e obediência. As mais possessivas proíbem a companheira de sair da cela; apanhar sol no pátio, só acompanhada.

— Mulher minha não fica na galeria dando mole — disse

uma pernambucana condenada a mais de oitenta anos, por várias mortes.

Segundo ela, essas mortes tiveram uma atenuante:

— Tudo gente que não valia uma cesta básica. Não era para estar presa, devia ser condecorada, fiz um favor para a sociedade.

À semelhança dos sapatões originais, há ativas que não se deixam tocar pela parceira. Da mesma forma que eles, quando voltam para a rua só farão sexo com mulher.

As passivas são as mulheres da casa. Ficam por conta delas a limpeza da cela, as roupas para lavar, a arrumação das camas e os demais afazeres domésticos. Como compensação, não precisam se preocupar com o custo de vida.

Receber o marido ou namorado nas visitas íntimas não lhes causa embaraços. A homo ou a bissexualidade da passiva é restrita ao mundo atrás das muralhas; assim que libertadas irão atrás de homens.

Entendidas relativas têm comportamento sexual oscilante. A depender da ocasião, da personalidade e das preferências da parceira, podem comportar-se como ativas ou passivas. Em liberdade, sairão com homens ou mulheres.

A última categoria é a das mulheríssimas. Para pertencer a ela é preciso gostar de homens e relacionar-se apenas com eles na rua. Na cadeia podem fazer sexo com mulheres, desde que não assumam o papel de ativas.

— São egoístas. Recebem da parceira todas as carícias que um homem faz numa mulher, sem dar nada em troca.

Nem todas as mulheríssimas, no entanto, comportam-se com tal rigor.

— Na hora de ir para a banca, tem umas que se esfregam e até pedem para deixar fazer sexo oral.

Se a parceira for discreta, a fama de mulheríssima permanecerá intacta, caso contrário:

— A que cai na tentação de bolinar a parceira fica desmoralizada. Qual é a dela nessa patifaria? É mulheríssima ou entendida?

Por analogia aos sapatões:

— Duas entendidas ativas na cama, nem pensar: é pederastia.

Com exceção das críticas veladas da minoria e da proibição restrita às irmãs do Comando, o comportamento homossexual é aceito com naturalidade por presas, guardas e a direção da penitenciária.

A dra. Maria da Penha, que dirigiu cadeias femininas por mais de trinta anos, explica essa aceitação generalizada num meio formado por pessoas que muitas vezes têm preconceitos contra homossexuais com quem convivem em suas comunidades.

— No fundo, todos aqui entendem que essas mulheres têm necessidades biológicas e que sentem carência de afeto, abandonadas na cadeia. Não fossem as crises de ciúme doentio que fazem correr sangue, o relacionamento homossexual é uma tradição que ajuda a manter a paz nas prisões femininas.

A distinção entre pulsões biológicas e carências afetivas, fatores interligados por natureza, fazem muita diferença para Shirley, usuária contumaz de cocaína, entendida ativa desde que se conhece por gente.

— Eu quero saber se a minha parceira tem tesão por mim ou se está comigo só por carência.

Para esclarecer, costuma ir direto ao ponto que considera crucial:

— Quando você me chupa, fica excitada ou faz só para me dar prazer?

Outras, como Gigi, só se deram conta da identidade sexual na cadeia.

Filha de lavradores do Triângulo Mineiro, Gigi foi morar com os avós no litoral de São Paulo aos catorze anos. Aos dezessete veio sozinha para a capital, empregada como arrumadeira de uma pensão na Zona Norte. No ano seguinte engravidou do marido da proprietária, que não hesitou em despedi-la.

Depois de duas noites dormindo num banco de praça, foi acolhida por uma senhora aposentada que passeava com o cachorro.

— Foi um anjo que Deus pôs na minha vida, mas que levou embora quando meu filho fez um ano.

Gigi arranjou serviço num bar de mulheres que alugava quartos nos fundos. Lá conheceu Jef, operário com quem viveu dez anos e que lhe deu mais três filhos.

Alguns meses depois de se separarem, foi apresentada a André. Deixou os quatro filhos com Jef e foi morar com o namorado. No início, apenas tomava conta das drogas que André traficava.

— Depois comecei a fazer entrega e a vender durante a noite.

A relação durou quase três anos, no decorrer dos quais nasceram mais duas crianças.

Quando André foi preso e condenado a dezoito anos, Gigi começou a namorar com Pedrão, traficante de um grupo rival.

Uma tarde, enquanto esperava pelo troco numa banca de jornais, ela foi atacada.

— Apareceu um moleque que me deu cinco tiros: dois no peito e três na barriga. Passei 42 dias no hospital, cheia de drenos.

Gigi está condenada a doze anos de prisão por associação para o tráfico, dos quais já cumpriu quatro.

— Doze anos, pode? Nunca matei ninguém. Quem é reincidente paga pelo resto da vida.

Na penitenciária, vive casada com Rafinha, sapatão original de corpo e rosto miúdo, preso por matar a facadas os dois homens que o estupraram.

— Disseram que era para eu sentir o prazer do pau de um homem e acabar com esse negócio de comer mulher.

Gigi acha que se encontrou com Rafinha.

— Nos vinte anos que me relacionei com homem, só conseguia ter orgasmo quando pensava numa mulher.

É pouco provável que a restrição do espaço físico, o confinamento com pessoas do mesmo sexo, a falta de carinho e da presença masculina e o abandono afetivo imponham de forma autocrática a homossexualidade no repertório sexual das mulheres presas.

É mais razoável pensar que esse conjunto de fatores apenas cria as condições socioambientais para que a mulher ouse realizar suas fantasias e desejos mais íntimos, reprimidos na vida em sociedade.

No universo prisional, sapatões originais, folós, sacolas, chinelinhos, pães com ovos e badaroscas, entendidas ativas, passivas ou relativas e as mulheríssimas podem viver sua sexualidade da forma que lhes aprouver, sem enfrentar repressão social.

Paradoxalmente, talvez a cadeia seja o único ambiente em que a mulher conta com essa liberdade.

Violência sexual

Meninas da periferia ficam expostas à violência sexual desde a infância. Nem sei quantas histórias ouvi no decorrer desses anos; difícil eleger a mais revoltante.

Tenho repugnância e desprezo visceral por homens que abusam sexualmente de mulheres. Não consigo compreender como é possível alguém ficar excitado diante de uma pessoa submetida pela força, apavorada, que se debate, chora e suplica para ser poupada.

Os que abusam de meninas, então, são os mais abjetos. Conheci vários na antiga Detenção. Confesso que em mim despertaram ímpetos de ódio a custo dominados, equilíbrio não alcançado pelos homens que torturam e matam estupradores nas cadeias com requintes inimagináveis de crueldade. O estado dos corpos trazidos à enfermaria para o atestado de óbito e, pior, os daqueles que ainda chegavam com vida, foram os maiores horrores que presenciei nesses 28 anos atendendo em prisões. São imagens que até hoje se intrometem em meus pensamentos quando menos espero: sozinho no banho, num almoço de domingo, brincando com minhas netas, na cama com minha mulher.

A maioria dos crimes de estupro não é cometida pelo homem que ataca a mocinha num beco ermo. Os agressores mais frequentes são os que se aproveitam da proximidade de vítimas indefesas. São padrastos, tios, avôs, primos mais velhos, filhos do companheiro da mãe, amigos da família ou vizinhos que gozam da confiança dos moradores da casa. Pais que abusam das filhas pequenas completam essa caterva de celerados.

Pobreza, desorganização familiar, superlotação do espaço doméstico, violência no lar e desamparo emocional deixam a criança frágil, amedrontada, insegura e exposta aos desígnios doentios do adulto que a violenta.

No decorrer de um ano, atendi Maria José três vezes com queixas de sinusite. Na primeira, jurou ter parado com a cocaína desde que viera presa, havia quatro anos. Era morena, tinha 23 anos, o cabelo avermelhado e um tique ocasional que a fazia piscar e torcer levemente o nariz ao mesmo tempo.

Nascera numa família com cinco irmãos, criados pela mãe lavadeira e pelo pai eternamente enfezado e disposto a descarregar na mulher e nos filhos a agressividade gerada pelo álcool e pelas frustrações da vida que levava.

Quando Maria José tinha dez anos, o avô paterno de sessenta anos se mudou para a vizinhança. Os pais acharam por bem levar a filha para morar com ele. Havia vantagens, argumentaram.

— Eu já sabia cozinhar, era mais perto da escola, e ficava uma boca a menos em casa.

Já na primeira semana, o avô lhe ofereceu um comprimido para tomar à noite.

— Disse que eu estava muito mirrada, baixinha, precisava de uma vitamina para crescer.

Uma madrugada, ao ir ao banheiro, a menina notou um líquido estranho entre as coxas.

— Achei que tinha ficado mocinha.

Com o uso repetido da medicação, o efeito se tornou mais superficial, mas ainda a deixava atordoada, sonolenta, sem noção clara de onde estava.

— Comecei a ter a impressão que meu avô esfregava o sexo na minha vagininha. Tudo estranho, de manhã ficava sem saber se tinha sonhado ou se era realidade.

A certeza veio na noite em que deixou o medicamento embaixo da língua, tomou a água oferecida e foi para o banheiro cuspi-lo no vaso sanitário.

Fingiu que dormia profundamente.

— Não reagi quando ele abaixou a minha calcinha e me virou de frente para ele. Quando senti o sexo dele, pulei da cama. Ele tomou o maior susto.

A justificativa do agressor:

— Disse que desejava ter um filho meu. Como era possível, se eu tinha dez anos?

Maria José não contou aos pais, não tinha intimidade com eles. Ficou com medo de que não acreditassem, batessem nela, achassem que ela era sem-vergonha e tivesse seduzido o avô ou, ainda, que o pai o matasse.

Daquela noite em diante, o avô não ousou oferecer-lhe o tranquilizante nem aproximar-se dela, até ser fulminado por um infarto do miocárdio que o surpreendeu dois meses mais tarde no sofá da sala, com o copo de cerveja na mão. Castigo de Deus, segundo a neta.

Primeira pessoa a constatar a morte, ela correu para avisar os pais. Antes, porém, tomou uma providência.

— Peguei todo o dinheiro da carteira dele e o que estava escondido dentro de um travesseiro, no guarda-roupa.

Aproveitando a distração dos familiares enquanto velavam o corpo no cemitério da Quarta Parada, fugiu para a casa de uma ex-vizinha que traficava e morava sozinha. Mal entrou, fez um pedido:

— Me ensina a fumar maconha.

A outra respondeu que só tinha crack.

Na casa da amiga, fumava crack, cozinhava, lavava, passava e via televisão, sem nunca pôr os pés na rua, com medo de que os pais descobrissem seu paradeiro.

Um dia, a amiga convidou-a para visitar Cildo, traficante com quem tinha negócios no Grajaú, bairro vizinho. Iriam de táxi, ninguém a reconheceria nas ruas.

Cildo era um rapaz musculoso, tatuado até o pescoço, de fala mansa, que as recebeu de chinelo e bermudão.

Os dois pediram que ela ficasse com a TV, na sala, enquanto tratavam de negócios na cozinha. Não demoraram para voltar, a amiga, que trazia um pacote nas mãos, disse a Maria José:

— Olha, tenho que viajar. Fica aqui com o Cildo. Não se preocupe, ele é bom menino, vai cuidar de você.

Maria José diz que naquele dia, na ingenuidade de seus dez anos, não desconfiou de que acabara de ser vendida ao traficante.

O rapaz tinha dezenove anos, duas passagens pela Fundação Casa por assalto à mão armada e uma estadia de oito meses no CDP da Mooca por porte de arma, ao completar a maioridade. Nesse estágio, encontrara um amigo de infância que o apadrinhou na pia batismal do Comando. Libertado, foi trabalhar como segurança na biqueira do padrinho.

Assim que ficou sozinho com a menina, assegurou-lhe em tom paternal:

— Você não quer voltar para a casa dos seus pais, mas ainda é uma criança. Fica tranquila, só vamos ter intimidade no dia em que você se sentir preparada.

Durante um ano e meio levaram vida em comum, dormindo em quartos separados. Ela cuidava da casa, ele da subsistência. Não lhes faltava nada e ainda sobrava o suficiente para sair aos domingos e ir ao Parque do Ibirapuera, o divertimento preferido dos dois.

— Pela primeira vez eu soube o que era viver ao lado de uma pessoa carinhosa, que não me levantava a voz, o tempo todo preocupada em me fazer feliz.

Quando estava para fazer doze anos, Maria José foi para o quarto do companheiro.

Um dia tocaram a campainha.

— Era meu irmão, com um revólver.

Cildo estava no sofá, quando o outro invadiu a sala com a arma engatilhada. Vinha disposto a acabar com a vida do sequestrador da irmã.

— Só desistiu porque eu insisti que estava apaixonada e que ele tinha me respeitado por quase dois anos, até eu tomar a iniciativa. Além disso, contei que tinha me livrado do crack e nunca me envolveu na correria dele.

Engravidou com treze anos. No sexto mês de gestação, dois desconhecidos arrombaram a porta a pontapés. Cildo saiu do banheiro enrolado na toalha. Os dois primeiros tiros não o derrubaram, mas vieram mais três. Caiu aos pés da companheira, que tentou reanimá-lo.

— Foi a maior tristeza da minha vida. Ele ainda conseguiu dizer: cuida do nosso filho.

Ela retornou à casa dos pais. Depois de amamentar o bebê durante oito meses, voltou a fumar crack e conheceu Vítor, vinte anos mais velho, assaltante com diversas passagens por delegacias, cdps e penitenciárias.

Em seis meses, moravam juntos. O menino ficou com os avós.

A relação com o novo companheiro foi conturbada.

— Quando descobri que não era a única na vida dele, o relacionamento desandou. Se ele misturava cocaína com cachaça, me batia.

No final do relacionamento, aborrecido com as dívidas que ela contraía por causa do crack, ele a deixou sem dinheiro.

— Cheguei a não ter o que comer.

Quando se separaram, Maria José ficou perdida. Não podia voltar para a casa dos pais nem via como sobreviver por conta própria. A saída foi juntar-se a um grupo de traficantes que assaltava estabelecimentos comerciais para financiar o negócio com as drogas.

Na quadrilha, sua função era observar o local escolhido, os hábitos dos funcionários, a presença de seguranças e as rotas de fuga. Na hora do assalto, permanecia do lado de fora com o celular, para alertar os companheiros caso alguém se aproximasse.

Melhorou de vida.

— Pude dar roupas e brinquedos pro meu filho, ajudar minha família e andar na moda, com jeans de marca. Fiquei ajuizada, parei com o crack, era só cocaína e maconha de vez em quando.

Uma noite assaltaram um bar na Zona Sul, modalidade na qual não tinham experiência. Ela aguardou na calçada oposta. Um dos companheiros ficou junto à porta, outro recolheu o dinheiro e os pertences que os fregueses depositavam sobre as mesas, enquanto o terceiro se dirigiu ao caixa.

Já estavam saindo quando um rapaz alcoolizado investiu contra um deles com uma garrafa de cerveja na mão. O que dava cobertura junto à porta atirou. Antes de cair, o homem conseguiu rachar a cabeça do assaltante.

Fugiram no carro que os aguardava e levaram o companheiro ensanguentado para o pronto-socorro do Hospital Jabaquara, onde ficou internado com suspeita de traumatismo craniano.

Na manhã seguinte, Maria José foi presa na casa dos pais, enquanto se preparava para passear com o filho.

Veio para a penitenciária, condenada a catorze anos por latrocínio.

Lu Baiana

Lu tinha 25 anos quando a atendi numa crise asmática. Na primeira consulta, chamavam a atenção os olhos que fugiam do contato com os meus, para se projetar num ponto incerto da janela gradeada atrás da minha cadeira.

Não conhecera o próprio pai nem o da irmã, que tinha dois anos quando a mãe trouxe o novo namorado para o cômodo em que moravam.

Em quinze metros quadrados, espremiam-se fogão, geladeira, pia, mesa e duas cadeiras dispostas na parte central durante o dia. O tanque, o banheirinho e o velocípede de plástico ficavam do lado de fora, no alpendre minúsculo junto à escadinha que dava para um beco da favela. Na hora de dormir, dois colchões encostados à parede trocavam de lugar com a mesa e as cadeiras.

Nesse cubículo, ela se recorda da primeira vez que acordou assustada com os gemidos da mãe, na cama ao lado.

— No escuro, pensei que ele estava machucando a minha

mãe. Quando comecei a chorar, ela gritou comigo e ameaçou me bater se eu não ficasse quieta.

Das outras vezes em que despertou em circunstâncias semelhantes, permaneceu calada, com medo de que a mãe estivesse sofrendo nas mãos daquele homem estúpido, mas sem entender por que ela não levantava nem acendia a luz.

Numa noite, acordou com a mão do padrasto acariciando seu cabelo, enquanto a mãe dormia. Estranhou. Era um tipo autoritário, agressivo quando bebia, incapaz de uma palavra ou gesto amigável. Aliás, carinho não recebia nem da mãe, que saía de madrugada para chegar ao emprego antes das oito e só voltava à noite, irritada, pronta para berrar e bater nas filhas à menor contrariedade.

A mão que alisava os cabelos desceu pelo corpo e tocou seu sexo. Lu diz que ficou petrificada, sem conseguir mover um músculo. Tinha seis anos de idade.

Dias mais tarde, depois que a mãe saiu com a marmita, o padrasto lhe tapou a boca com uma das mãos, para que não acordasse a irmã menor, e a estuprou.

— A dor que senti ficou até hoje gravada no meu sexo. Parece que aconteceu ontem.

Em seguida, o padrasto foi para a cozinha e voltou com um facão.

— Encostou a faca no meu pescoço e ameaçou matar eu e minha irmã se eu contasse pra mãe ou pra qualquer pessoa.

Lu foi violentada por esse homem dos seis aos oito anos. Algumas madrugadas era despertada para masturbá-lo ao lado da mãe adormecida. Tinha pavores noturnos, crises de pânico e de choro, gagueira e dificuldade para acompanhar os colegas de classe, que zombavam de sua fala. Voltou a urinar na cama, contratempo que lhe rendeu alguns safanões da mãe e xingamentos do padrasto. Na escola passava o tempo todo calada, em casa não saía de perto da irmãzinha.

— Minha irmã era tudo que eu tinha. Meu medo era que aquele homem matasse ela e me deixasse viva. Quando ouvia a voz dele entrando, ficava com as mãos geladas, o coração disparado, um nó na garganta. Precisava sair para o beco ou me trancar no banheiro para não cair em desespero na frente da mãe.

A redenção veio com duas punhaladas no peito do algoz, desferidas por um vizinho ciumento junto à mesa de bilhar do botequim da esquina.

Uma semana depois do enterro, Lu criou coragem para revelar à mãe os suplícios pelos quais havia passado.

A reação materna foi a pior possível.

— Ela me chamou de mentirosa, disse que eu e a minha irmã éramos a desgraça da vida dela e me deu uma bofetada na cara.

Cresceu e ficou moça sem namorar. Foi trabalhar num desmanche nas proximidades do Jardim Bonfiglioli, na Zona Oeste, onde fez amizade com um grupo que roubava carros para investir no tráfico. Juntou-se a eles.

Sentia repulsa pelos homens que tentavam se aproximar. Se algum mais afoito folgava, reagia com firmeza, como aconteceu com um bêbado que cismou de beijá-la à força.

— Puxei o revólver e atirei. Pegou no ombro. Só não tomou o segundo porque o pessoal levou ele dali.

Enquadrada como receptadora, foi condenada a quatro anos e sete meses. Na penitenciária, conheceu Valdê. Não foi amor à primeira vista.

Valdê

Nasceu na periferia de Jaboatão dos Guararapes, na Grande Recife. O pai bebia e desapareceu antes que ela começasse a andar. Aos dez anos, já saía de casa sozinha à procura da mãe, refugiada entre os craqueiros. O irmão mais velho se meteu no tráfico aos dezesseis anos e o mais novo aos treze, atividade que lhes permitiu manter a casa, da qual Valdê cuidava com responsabilidade.

Envolvidos numa transação nebulosa, os dois foram assassinados antes da maioridade pelo garupa de uma moto, a duas quadras da avenida Beira-Mar, na praia da Boa Viagem.

Na mesma noite, três homens bateram na porta do barraco.

— Queriam saber onde meus irmãos tinham escondido um quilo e meio de pedra de crack.

Não adiantou Valdê dizer que não fazia ideia, que nada tinha a ver com a vida e os afazeres dos dois. Os intrusos vasculharam a casa.

— Reviraram tudo. Só de raiva, estouraram a televisão.

Frustrados, amarraram os braços dela para trás e começaram a agredi-la. Levou um soco no queixo que a jogou de cabeça contra a maçaneta da porta.

Quando recuperou os sentidos, um dos agressores estava em cima dela. Levou alguns segundos para entender o que se passava. Depois foi a vez dos outros dois.

A vizinha que ouviu os gritos encontrou-a no chão, descomposta, com as mãos amarradas embaixo do corpo e a cabeça empapada de sangue.

Com medo de ter o mesmo destino dos irmãos, pegou os setecentos reais escondidos no motor da geladeira e embarcou num ônibus para São Paulo. Na cidade, procurou uma prima que vivia com o marido e dois filhos pequenos no Itaim Paulista, bairro no extremo da Zona Leste.

A prima ofereceu um sofazinho para Valdê dormir na sala e lhe conseguiu um emprego de faxineira numa loja da vizinhança.

Mal havia começado a organizar a vida, surgiram enjoos, mal-estares e dificuldade para sair da cama de manhã. Na Unidade de Saúde descobriu que estava grávida.

— Quase morri de desgosto. Ser mãe de um filho daqueles três? Saí do médico criando coragem para me atirar embaixo de um ônibus, na avenida Kennedy.

Depois pensou que tomar veneno de rato seria a melhor saída, intenção da qual foi demovida por uma colega de trabalho, que lhe passou um endereço.

Tocou a campainha do sobrado. Atrás da porta entreaberta, um homem bem gordo, suado, perguntou o que ela desejava. Valdê deu o nome da mulher indicada pela colega. Na salinha escura e abafada, sentou ao lado de duas meninas, uma das quais não tinha quinze anos. Esperaram, num silêncio constrangido.

Terminado o procedimento, voltou para casa com cólicas que a faziam gemer a cada solavanco do ônibus.

Custou a pegar no sono. No meio da madrugada acordou com o absorvente e as coxas encharcadas de sangue. Precisou amparar-se nos móveis para caminhar até o banheiro.

Às seis da manhã, a prima encontrou-a pálida, com dores fortes, calafrios e o cabelo molhado de suor. Andaram cinco quarteirões até a avenida, mas os ônibus passavam lotados. Por sorte, avistaram uma viatura da PM, ave rara naquelas paragens.

Depois de duas horas e meia numa cadeira de plástico na sala de espera do pronto-socorro, a vista escureceu. Valdê passou por duas curetagens, ficou três dias em choque na UTI e mais oito na enfermaria, para completar o ciclo de antibióticos.

Voltou para casa sozinha. O jantar transcorreu em silêncio. Quando todos se recolheram, a prima avisou-a de que ela precisava ir embora. Eram evangélicos, o marido não aceitava o crime que ela havia cometido.

No dia seguinte, quando voltou ao trabalho de faxineira, soube que a loja tinha posto outra em seu lugar.

Com o dinheiro que o patrão lhe deu a título de ajuda, como fizera questão de ressaltar, conseguiu pagar adiantado o aluguel da primeira quinzena de um quarto numa pensão das redondezas, que seria dividido com outra moradora, moça de fino trato, segundo a senhoria.

A moça de fino trato vivia do furto de roupas em lojas do centro da cidade e de mercadorias em supermercados. Valdê iniciou-se na carreira como auxiliar da moça, tarefa pela qual recebia 30% do lucro auferido. Esperta, em poucos meses já trabalhava por conta própria.

Em sua terceira passagem pela cadeia, conheceu Lu, que mais tarde diria:

— O jeitinho tímido e o andar decidido da Valdê me encantaram à primeira vista.

A recíproca não foi verdadeira, como afirmou Valdê:

— Percebi que ela me olhava, mas nunca achei legal esse negócio de mulher com mulher.

Obstinada a conquistar a companheira, Lu a cobriu de gentilezas. Valdê lembra:

— Ela vinha com doce, chocolate, refrigerante, baseado, me oferecia cocaína, que eu não uso. Até um brinco e uma camiseta com estampa brilhante me deu de presente.

A sedução atingiu o clímax quando a companheira de cela de Lu foi transferida para o semiaberto.

— Na primeira noite, a Lu pegou na minha mão, me acariciou o rosto, afastou meu cabelo, olhou nos meus olhos e me beijou na boca.

Valdê diz que se assustou, quis sair fora, mas a companheira a abraçou com doçura:

— Senti um arrepio no corpo inteiro. Descobri o que era aquilo que as mulheres chamavam de tesão.

Mariazinha da 45

Maria da Piedade nasceu numa rua de terra no extremo de Pirituba, Zona Oeste de São Paulo.

A casa em que morava com os pais e as cinco irmãs era de dois cômodos, acessíveis por uma escadinha que descia a partir do nível da calçada, empoeirada em dias secos e enlameada quando chovia. Em caso de temporal, todos corriam para pôr fogão, geladeira, guarda-roupa e o que mais conseguissem em cima das tábuas que o pai havia fixado à meia altura nas paredes do quarto e acima da cama do casal, onde improvisara um mezanino com colchões para as filhas dormirem.

Maria era o braço direito da mãe. Aos oito anos, trocava as fraldas das pequenas, lavava roupa, ajudava na cozinha e na faxina, levava com ela à escola as irmãs que estudavam no período da manhã, voltava para casa e, à tarde, acompanhava as duas mais novas.

Na adolescência conheceu Ronaldo, filho de um vizinho influente que havia cumprido 22 anos na Casa de Detenção, na época em que estive lá. Sete meses depois, engravidou.

O pai dela, maranhense radicado em São Paulo havia vinte anos, mas ainda preso aos costumes e valores morais de Sucupira do Riachão, ficou revoltado, não tinha posto filha no mundo para desonrar o nome da família. Se não se casasse com o pai da criança, a porta da rua era serventia da casa.

Casar? Ronaldo tinha dezesseis anos, a idade dela.

A solução foi dada por Heitorzinho da 45, alcunha do pai do namorado.

— Eu estou bem de vida. Vocês vêm morar comigo. Depois de tanta cadeia, vou conviver com o meu filho, um neto e com a filha que não tive. Não sou merecedor de tanta felicidade.

De fato, Heitorzinho da 45 não estava mal. Era proprietário de uma biqueira em Parque São Domingos, bairro vizinho, atividade que lhe permitia andar na elegância, com calça de vinco, sapato de amarrar, cordão de ouro no pescoço, e morar num sobrado de três andares rebocado e pintado por fora, com sala de jantar, cama redonda num dos quartos, banheira, home theater, forno de pizza e churrasqueira na laje superior.

A relação entre pai e filho desandou quando Ronaldo começou a usar cocaína. Conhecedor do poder de destruição da droga por dever de ofício, Heitorzinho deu conselho, brigou, cortou mesada, colocou um funcionário da biqueira para acompanhar o rapaz feito sombra e ameaçou expulsá-lo de casa. Se era para ter um pai drogado e irresponsável como ele tivera, melhor que a criança fosse criada pelo avô.

A menina nasceu prematura, com problemas pulmonares. Passou quase um mês na maternidade da Vila Nova Cachoeirinha antes de receber alta.

Heitorzinho enlouqueceu com a chegada da neta. Difícil o dia em que voltava para casa sem uma roupinha ou um brinquedo, quase sempre inadequado para a idade. Era ele quem corria com a nora para o pronto-socorro nas crises de falta de ar da menina. Maria encontrou nele o pai protetor e carinhoso que não tivera.

A repressão paterna fez Ronaldo substituir a cocaína pela maconha, que fumava o dia inteiro. Passou a fazer parte da legião de adolescentes das periferias brasileiras classificados como "nem-nem", denominação reservada para os que nem estudam nem trabalham. O sustento da casa ficava por conta do pai.

Quando a menina tinha sete anos, o avô foi preso, acusado de participar da emboscada que tirou a vida de um concorrente e desencadeou retaliações que resultaram em cinco mortes.

Maria levou a filha para ver o avô no primeiro domingo de visita. Ele as recebeu com um sorriso aberto e pegou a neta no colo, que lhe deu um beijo e um abraço apertado.

— Nunca tinha visto lágrimas nos olhos do meu sogro.

Enquanto a menina brincava ali em volta, Heitorzinho sentou num banco ao lado da nora e lhe disse em tom grave:

— Filha, só Deus sabe quanto fiz para manter minha família longe do meu mundo, mas o destino resolveu de outra maneira. Sou dono de biqueira, reincidente e acusado de vários beós; a caneta do juiz vai ser pesada. Em pouco tempo tomam tudo que tenho, vamos perder o sustento da família.

Em seguida, explicou:

— Meu sonho era ver meu filho estudar e ser alguém. Deu errado, ele é fraco que nem a mãe, irresponsável. Quero que você assuma a biqueira. Deixei o Cachorrão na gerência, ele vai te apresentar os fornecedores e te orientar no começo. Confio nele, mas você deve desconfiar — dele e de todos os que se aproximarem. Desconfiança é a alma do nosso negócio.

Cachorrão se comportou como o patrão esperava. Maria conheceu os fornecedores, a equipe de vendas, os policiais que passavam a cada quinze dias para receber os 12 mil reais combinados e os irmãos do Comando que cobravam a porcentagem relativa à segurança e ao apoio logístico.

Todo fim de semana levava a menina para visitar o avô. Dele

vinham os conselhos para a condução das operações que ela gerenciava com habilidade e a proteção da 45 presenteada pelo sogro. Dele partiu a ordem para liquidar Cachorrão, sem que a nora precisasse mover um dedo.

— Esta semana fica esperta. Cachorrão deu mancada. Zóio grande faz o homem perder o caráter e a noção do perigo.

A morte de Cachorrão e de três comparsas que pretendiam assassinar Maria para se apossar de uma encomenda de dez quilos de pasta que chegaria de Ponta Porã aumentou seu prestígio e lhe valeu a alcunha de Mariazinha da 45.

Os negócios prosperaram. Comprou três casas, duas chácaras na região de Caieiras e três terrenos em Perus, propriedades adquiridas em nome das irmãs, para evitar cobiça dos concorrentes, chantagem policial ou confisco em caso de prisão.

Uma de suas irmãs, Candinha, morava com a filha de nove anos, Bia, numa dessas casas, na mesma rua, a cem metros de Maria. Ela e a filha tinham paixão por essa menina, que passava mais tempo com a prima do que com a própria mãe, caixa de um supermercado na Brasilândia, bairro próximo.

Um fim de tarde Candinha ligou para a irmã:

— Preciso ficar no serviço até mais tarde. Você pode pegar a Bia e levar para a sua casa? Não gosto que ela fique sozinha.

Maria terminou de fazer as contas, pesou a droga que seria comercializada à noite, juntou a féria do dia, deu instruções aos vendedores e foi buscar a sobrinha.

A porta estava trancada. Tentou abri-la com a chave que trazia na bolsa, mas havia outra por dentro. Empurrou com força a janela através das grades.

A cena era pavorosa. Um homem com a calça abaixada tentava arrancar o uniforme de escola da menina, que se debatia com a boca vedada por uma tira grossa de esparadrapo.

Com o barulho e a claridade da janela aberta, o agressor se

assustou, largou a criança, levantou a calça e correu na direção da porta. Ao abri-la, deu de cara com a 45.

— Volta, vamos conversar.

A sobrinha se agarrou às pernas da tia, que descolou com cuidado o esparadrapo.

— Pronto, acabou, querida. Corre para a casa da titia e me espera lá com a sua prima.

Assim que a menina saiu, o homem tentou explicar:

— Não é o que a senhora está pensando. Era só uma brincadeira que eu faço com as crianças.

Com a 45 em punho, Mariazinha recomendou com a voz mais tranquila da Via Láctea:

— Senta pra trocar uma ideia.

No instante em que sentou, veio o primeiro tiro. Em seguida mais dois no lado esquerdo do peito.

Maria colocou a 45 no cinto, embaixo da blusa, fechou a casa e foi encontrar a sobrinha, que não parava de chorar na poltrona da sala, agarrada à prima recém-chegada do colégio. Lavou o rosto da criança, deu-lhe água com açúcar, e as três foram à padaria comprar o doce de que Bia mais gostava.

Ligou para a irmã e recomendou que não fosse para casa nem fizesse perguntas:

— Vamos jantar as quatro juntas. Vocês dormem com a gente.

Quando levantaram da mesa, Maria telefonou para dois auxiliares, marcou encontro na casa da irmã, preparou chá de erva cidreira com mel, levou para a sobrinha na cama, contou as histórias que a menina ouvia desde pequena e saiu sem fazer barulho.

O agressor estava caído contra o espaldar da cadeira, virada para trás sob o impacto das balas. Havia pouco sangue no chão. Os dois auxiliares pegaram o corpo pelos braços e pelas pernas, levaram até o porta-malas do carro estacionado de marcha a ré sobre a calçada, bem junto à porta de entrada, e deram a partida.

Mariazinha da 45 limpou os vestígios de sangue com um pano úmido, deixou tudo em ordem, voltou para casa e diz que dormiu em paz.

Nunca respondeu por esse crime. Acabou presa por tráfico. Quando pergunto se carrega na consciência o peso dessa morte, responde com tranquilidade:

— É como fala meu sogro: "Cada qual que resolva os seus problemas".

Obsessão fatal

Alice se queixou de acessos de tosse que a obrigaram a se mudar para uma das celas ocasionalmente vazia:

— Expliquei para a funcionária que, por causa da tosse, ninguém conseguia dormir a meu lado. Nem eu.

Estranhei que alguém dissesse "a meu lado" naquele ambiente contaminado pelos gerúndios e pelas discordâncias entre singular e plural, tão comuns no linguajar da periferia de São Paulo.

Tinha o olhar abatido pela falta de sono, o rosto cansado, mas de linhas harmoniosas, sem uma ruga que denunciasse os quarenta e poucos anos. Era uma sinusite que se tornara crônica por falta de diagnóstico e tratamento.

Quando voltou para avaliarmos a resposta ao antibiótico que eu havia receitado, era outra pessoa: os olhos reluzentes e o sorriso ao entrar mostravam que o tratamento tinha dado certo.

— Vim só porque o senhor marcou retorno. A vida sem tosse tem outra graça.

Ao sair, pediu atestado com o horário de chegada e de saída do ambulatório, exigido pela firma em que trabalhava.

— Não posso ser demitida, ainda tenho muita cadeia pela frente.

— Pena de quantos anos?

— Dezoito.

— Tudo isso? Senta outra vez.

Aos sete anos Alice ficou em primeiro lugar no concurso para uma bolsa de estudos num colégio de freiras. Não desperdiçou a oportunidade; esteve entre as três primeiras alunas de todas as classes que frequentou, até terminar o ensino médio.

No vestibular, entrou no curso de pedagogia da Universidade de São Paulo. Acordava às cinco da manhã para chegar às oito na faculdade.

No segundo ano foi obrigada a interromper os estudos porque o pai perdera o emprego de porteiro, com o qual mantinha a esposa com diabetes e as quatro filhas.

Alice, então, foi trabalhar no departamento de recursos humanos de uma multinacional. Ganhava o suficiente para sustentar os pais e as irmãs mais novas.

Quando o pai arranjou outro emprego, ela não retomou os estudos: havia sido promovida. Com o salário mais alto pretendia se mudar do bairro.

— Queria tirar a família daquela área perigosa da Vila Curuçá. Minhas irmãs já estavam na idade de namorar, tinha medo que se envolvessem com marginais. Uma delas, a Zilma, era masculinizada, iria sofrer muito naquele lugar.

Um dia, às seis da tarde, no trabalho, Alice recebeu um telefonema da Santa Casa avisando que Zilma estava internada na UTI em estado de choque.

Ao chegar a esse ponto da história, seus olhos se encheram de lágrimas, mas a voz não ficou embargada.

Quando passava em frente a uma construção, Zilma tinha parado para dar uma informação solicitada por um pedreiro. Foi puxada para dentro da obra e estuprada, sob a ameaça de um facão no pescoço.

— No fim, o pedreiro perguntou se ela tinha gostado, se ia continuar com aquele jeito de sapatão e lhe deu uma facada no sexo que perfurou o útero e o intestino.

Pelo policial que lavrara a ocorrência no pronto-socorro, Alice soube que o estuprador desaparecera. Não havia testemunhas.

A irmã foi operada, passou dezoito dias na UTI e outros tantos na enfermaria. Alice tirou férias e não arredou pé de seu lado.

Na manhã da alta, levou-a para casa e foi até o local do crime. O mestre de obras explicou que o criminoso era um empregado temporário, e recém-contratado, que fugira depois do ataque.

Enquanto conversavam, outros pedreiros se aproximaram; também estavam revoltados. O canalha tinha se aproveitado da troca de turnos, quando os colegas do diurno já haviam saído e o guarda da noite ainda não chegara. Sabiam que se chamava Salvador, mas desconheciam seu sobrenome, porque trabalhara lá menos de uma semana. Nem estava registrado.

Quando Alice perguntou se por acaso tinham uma fotografia em que ele aparecesse, um dos pedreiros correu para buscar o celular.

Na foto, o homem aparecia sorrindo numa mesinha de botequim, ao lado de garrafas de cerveja, do dono do celular e de três mulheres corpulentas de camiseta regata.

Sem pedir licença, Alice enviou a foto para o seu telefone, agradeceu e foi embora. Foi direto para uma biqueira que funcionava nas proximidades. Conhecia o dono desde criança, era filho de uma das amigas de sua mãe. Comprou revólver e munição.

— Naquela madrugada, não consegui pegar no sono, com a imagem daquele tarado sorridente na cabeça.

De manhã, colocou algumas roupas numa maleta e avisou que faria uma viagem longa pela empresa.

Para que a família não a encontrasse, hospedou-se numa pensão em São Miguel Paulista, bairro vizinho, e começou a via-sacra pelas construções da região. Acordava cedo para ir de obra em obra, com a foto dele no celular e a desculpa de que precisava encontrar o irmão para avisá-lo de que a mãe, à beira da morte no Hospital do Câncer, insistia em se despedir do filho.

Voltava à noite exausta, mal alimentada e atormentada pela ideia fixa de se vingar do inimigo.

— Tinha pesadelos em que ele aparecia com a faca e aquele sorriso.

No outro dia, repetia a rotina infrutífera, até a noite.

Depois de cinco semanas, o dinheiro acabou. Alice foi morar na rua. Dormia embaixo de marquises de prédios, na soleira das lojas, pedia comida nos bares, ajudava feirantes a armar barracas em troca de alguma coisa para comer, sem jamais abandonar a ideia delirante de encontrar o estuprador.

— Nada mais fazia sentido. Virou obsessão, questão de vida e morte. Fiquei pele e osso. Ou dava cabo da vida dele ou da minha.

Ampliou a área de busca para bairros vizinhos. Onde havia construções, entrava com o celular, a foto à mostra e a arma escondida. No caminho, repetia em voz baixa: "Vou achar esse animal… Vou matar… Vou dar fim… Vou acabar com a raça desse filho da puta". Depois de pronunciada a última frase, invertia a ordem e recomeçava, incansável.

— Falava essa frase centenas, talvez milhares de vezes.

Num sábado de manhã, depois de dois meses de procura, bateu palmas na porta de um sobrado em reforma, em Itaquera, próximo ao Hospital Santa Marcelina. O pintor que a atendeu disse que o homem da foto trabalhava lá, mas que estava de folga naquele fim de semana. Não sabia onde ele morava. A alternativa, então, seria procurá-lo na segunda-feira.

Alice voltou imediatamente para a casa da família. Não gosta de lembrar da reação dos pais e das irmãs quando a viram.

— Caíram no choro. Pensaram que eu tinha saído da Cracolândia.

Abraçada aos familiares, ela falou das dificuldades pelas quais havia passado, da ideação obsessiva, do desejo de vingança, de como lamentava a perda do emprego e o tempo malbaratado naquela busca insensata. Graças ao Senhor Jesus Cristo, agora estava livre das más intenções e do ódio que tantos tormentos lhe trouxeram.

Na segunda-feira, vestiu sua roupa mais chique e pegou o ônibus para Itaquera. Desceu na esquina da casa em reforma, em frente a uma padaria. Por acaso, viu o homem que procurava encostado no balcão da padaria. Atravessou a rua, entrou e pediu uma média e um pão de queijo. Ele comia uma coxinha e bebia cachaça. Olhou para ela. Alice sorriu e puxou conversa.

Combinaram um encontro para as cinco da tarde, quando ele saísse do trabalho.

Ela andou pela vizinhança o dia inteiro. No fim da tarde, voltou à padaria vinte minutos antes do horário combinado; ele bebia cachaça num copo americano. Depois dessa, tomou outra. Alice o convidou para ouvir música no apartamento dela. Andaram por quarenta minutos que ele nem viu passar, entretido com as histórias que contava para impressioná-la. Por fim, pararam na entrada de um beco que terminava num terreno baldio.

O homem estranhou, não via nenhum prédio por ali. Ela puxou o revólver, ordenou que ele se ajoelhasse e pegou o celular.

— Conhece essa moça que está comigo na foto?
— Quem é?
— É uma que você estuprou.
— Ah! Mas era um sapatão.
— Pois é a minha irmã. Beija o chão e pede perdão pra ela.

Ele obedeceu. Ela mandou repetir dez vezes, com mais convicção. O homem começou a chorar. Implorava que lhe poupasse a vida, quando o primeiro tiro acertou seu abdômen. Disparado contra o lado direito do tórax, o segundo jogou o corpo para trás. O terceiro e o quarto foram dados à queima-roupa contra os genitais.

— Fiquei parada lá um tempão, admirando o sangue que escorria pelo meio das pernas dele e o sofrimento daquele desgraçado.

Foi o primeiro dos cinco estupradores que matou nos dois anos antes de ser presa.

Vozes demoníacas

Paullette chegou para a consulta com a folha em que anotava as glicemias. Em jejum, os valores passavam de duzentos.

Revi os hipoglicemiantes orais, aumentei as doses de insulina, expliquei que o diabetes resultava de uma dificuldade do organismo em lidar com os carboidratos e insisti que era fundamental emagrecer e movimentar os músculos, andar pelo pátio interno, subir escadas.

Ao ouvir a recomendação de se movimentar mais, reagiu:

— Isso eu não posso fazer.

— Por quê?

— Porque a minha vida é da cela para o trabalho na firma de espelho retrovisor e de lá para dentro da cela. Não saio nem pra galeria.

— Por quê?

— Porque eu tenho sistema nervoso.

— Como assim?

— Se eu saio e alguém me falta o respeito, não troco ideia,

parto pra cima. E aqui, o senhor sabe, as irmãs do Comando não admitem: quem brigar enfrenta a "consequência".

Ela diz que o nervosismo é de nascença. Mais velha de cinco irmãos, veio do interior de Minas ainda criança, com os pais. A vida no Capão Redondo não foi fácil, o pai e a mãe trabalhavam longe de casa, ele como ajudante de pedreiro, ela numa casa de família. Saíam antes de o dia clarear e regressavam à noite, rotina perversa da maioria dos moradores de bairros pobres.

Em São Paulo, foi obrigada a abandonar os estudos. Com os pais no trabalho, coube a ela cozinhar, lavar, passar, arrumar a casa e cuidar dos pequenos.

— Meus irmãos dizem que fui a segunda mãe deles. Até minha mãe reconhece.

A morte do pai quando ela tinha dezenove anos e o namorado que conheceu levaram Paullette para o tráfico.

Três anos depois, quando o namorado foi preso, assumiu a gerência da biqueira. Ela atribui o sucesso profissional a uma característica valorizada no mundo do crime.

— Sou mulher de palavra. Não sou dessas que logo vão dizendo sim. Penso bem antes de prometer, porque depois vou até o inferno para cumprir.

A racionalidade das atitudes, no entanto, era conturbada por seu gênio irascível, que provocava explosões de agressividade.

— Se alguém folga comigo, perco a cabeça. As vistas escurecem, chego a ver estrelas, não enxergo nada na frente.

— Quantas pessoas você matou?

— O que é isso, doutor? Nunca tirei a vida de ninguém.

— Você brigava com as mãos?

— Com faca. Esfaquear, esfaqueei muita gente, mas ninguém morreu.

— Quantos?

— Perdi a conta.

— Mais de dez?

— Talvez. Mas tudo gente à toa, sem palavra nem caráter.

Certa ocasião, queixou-se ao chefe: um dos entregadores de crack mentia e lhe causava dissabores nos acertos financeiros. O homem lhe deu razão, disse que o rapaz já havia armado confusões com outros fornecedores do grupo, e que enviaria a ela um revólver, para dar fim no caso. Paullette ficou brava:

— E eu lá sou mulher de encomenda? De mais a mais, não gosto de revólver. Acerto meus assuntos no fio da faca.

Nunca foi presa nem condenada por essa forma peculiar de resolver conflitos. Veio cumprir doze anos na penitenciária por tráfico e formação de quadrilha, atividades em que ganhou o reconhecimento dos companheiros, em especial pela habilidade nas negociações com concorrentes e policiais corruptos.

— Vinha gente de outras biqueiras pedir para eu negociar o acerto com os polícias. Eu perguntava quanto eles tinham pedido. Do desconto que eu conseguia, ficava com 30%.

Combinados os detalhes, o acordo era cumprido. Se por acaso o proprietário da biqueira atrasasse, ela efetuava com recursos próprios o pagamento para os agentes da lei. Quanto à liquidação da dívida pendente, ela diz:

— Era resolvida nas ideia. Ou na ponta da faca, quando sobrava esperteza e faltava percepção.

Aos trinta anos, era mãe de um filho único, ocorrência inusitada naquele universo de multíparas. Ao notar minha surpresa com essa revelação, disse que não podia mais engravidar. Perguntei por que razão.

— Tenho medo. Criança com a moleira aberta não dá certo comigo.

Amamentava o menino recém-nascido, quando ouviu as vozes pela primeira vez.

— "Enfia uma BIC na moleira dele. Depois joga essa coisa no lixo."

— Era uma voz que você imaginava?

— Não, era uma ordem que eu ouvia. Começava baixinho, ia aumentando e no fim gritava: "Enfia a caneta nessa coisa molinha! Vai, tá esperando o quê?".

Assustada, pediu ajuda à mãe.

— Ela disse que era voz do Maligno e me levou para a igreja.

No culto, o pastor sentou-a numa cadeira em frente aos fiéis, apertou a cabeça dela com as mãos e se pôs a gritar para que Satanás abandonasse aquele corpo que não lhe pertencia.

Paullette não gostou da experiência.

— O homem puxava minha cabeça para cima, quase arrancou do pescoço. Quando berrava pro Satanás cair fora, cuspia em cima de mim.

A despeito do descarrego, a cada mamada do bebê as vozes soavam mais impositivas. Achou que acabaria perdendo a razão e procurou o pediatra da Unidade de Saúde, que a ouviu com os olhos arregalados e a encaminhou para uma consulta urgente com o psiquiatra.

Ela não foi.

— Se fosse, ele ia meter uma de louca em cima de mim, me tomar a criança e entregar pro Conselho Tutelar. Meu filho era a coisa mais preciosa da minha vida.

Sozinha em casa, dando o peito para o bebê às quatro da madrugada, as vozes vieram mais coercitivas do que nunca:

— "Enfia a caneta na moleira. Enfia logo, enfia." Tapar os ouvidos não adiantava. Gritavam muito alto, achei que os vizinhos iam escutar.

Correu em pânico para a casa da tia, que morava em frente. Ao vê-la naquele descontrole, a prima pegou o bebê no colo.

— Foi ela tirar o bebê de mim, as vozes calaram a boca.

Veio dessa prima a ideia salvadora.

— "Se os espíritos te atacam quando você vê a moleira, dá de mamar com uma fralda cobrindo a cabecinha do nenê". — Parece que foi milagre.

Milagre incompleto, todavia. Quando a criança começou a engatinhar, não havia como manter a moleira escondida.

O problema foi novamente solucionado pela prima, que confeccionou um gorrinho de tricô, mantido na cabeça do menino fizesse frio ou calor.

— As vozes voltavam quando ele arrancava o gorrinho. Mas aí já vinham mais fracas e desapareciam se eu pensava em outra coisa.

Assim que os ossos da fronte se soldaram, as vozes emudeceram.

Desde os tempos do Carandiru, insisto com os traficantes que o comércio de drogas ilícitas só dá lucro para investidores que nem chegam perto do produto, agentes financeiros especializados na lavagem dos lucros obtidos e policiais desonestos. Para quem vive do tráfico miúdo nas ruas, correndo o risco de encontrar a morte na esquina, o dinheiro traz a sensação ilusória de que a pobreza ficará para trás, sonho que evapora ao cruzar o portão da cadeia.

Aprisionados, perdem tudo. Se algum recurso sobreviveu às investidas de policiais corruptos e aos honorários advocatícios, cairá nas mãos de desafetos, da Justiça ou de amigos e parentes sem escrúpulos. Depois de experimentar as delícias da vida à farta, o traficante volta às privações habituais, com o agravante da restrição da liberdade, bem ao qual só damos valor quando perdido.

Pelo menos na minha frente, todas as traficantes concordam. Dizem que se arrependem de haver trilhado esse caminho e que ao sair darão mais valor aos pequenos prazeres desfrutados a um custo baixo: o filme na TV ao lado dos filhos, o almoço em família, a ajuda à mãe doente, o sanduíche na padaria de costas para a porta.

Não foi o caso de Paullette.

— Para mim valeu. Nunca fui de esbanjar, guardei o suficiente para comprar uma casa pra minha mãe e pra cada irmão.

Minha família não paga aluguel. Quando eu ia conseguir isso num trabalho normal?

Ao contrário da maioria das presas, ela não passa um fim de semana sem visita. Os irmãos se revezam aos domingos, o filho — agora com dezessete anos — vem a cada quinze dias e a mãe uma vez por mês, apesar dos problemas cardiológicos. Na família todos a respeitam.

— Minha mãe dizia: "Só não mexe com ela, é muito boazinha, mas não foi bem batizada".

Os irmãos seguiram à risca a recomendação materna. A única desobediência aconteceu no dia em que, ao ser repreendido pela irmã, o caçula a mandou tomar num lugar indevido.

Paullette agarrou-o pelo braço:

— Olha aqui, moleque, sou sua segunda mãe. A primeira te deu a vida, a segunda tem direito de tirar.

As pontes

Jane, presa aos 22 anos na portaria de uma cadeia no oeste do estado, considera injustiça queixar-se da sorte:

— Por mais de dois anos levei droga pro meu namorado, quase todo fim de semana.

Tem quase certeza de que demorou para cair em flagrante, porque as funcionárias encarregadas da revista faziam vista grossa. Perguntei se cobravam pedágio:

— Nunca. Ou ficavam com pena de mandar a gente para a cadeia ou com preguiça de ter de ir para a delegacia lavrar o flagrante, e depois testemunhar nas audiências.

— Podia ser que não desconfiassem.

— Como? Naquela fila de mulher quem é que tinha 350 reais, toda semana, para pagar passagem de ônibus, comida, pensão para dormir e ainda trazer o jumbo?

Jane recebia trezentos reais por cinquenta gramas de maconha e seiscentos para cada cinquenta gramas de cocaína que conseguia introduzir no presídio. Diz que não era muito, outras levavam muito mais:

— Depende da altura do útero, o meu é baixo. Na mulher de um companheiro de cela do meu namorado, cabia um pacote de cocaína enorme, do tamanho de um ovo de páscoa.

Já Margô foi presa pela primeira vez aos 35 anos. É uma negra alta, de olhos verdes e fala articulada que perdeu a virgindade no Carandiru aos quinze anos. Namorada de Jaçanã, ladrão de toca-fitas e arrombador de residências, pagou um falsário para substituir a foto do RG de uma prima maior de idade, e assim conseguir autorização para entrar na lista de visitas íntimas do Carandiru no fim dos anos 1990.

Era filha de um feirante português que passava duas noites da semana com a mãe de Margô e o casal de filhos, e as demais com outra mulher, com quem tinha mais três crianças.

Com o pai ausente e a mãe diarista em casas de família, Margô cresceu ressentida com a falta de atenção. Afeto, só recebia do irmão seis anos mais novo, Edu, de quem cuidava com desvelo maternal.

— Dei para esse menino todo o carinho que não tive.

Quando conheceu Jaçanã, ele tinha dezessete anos e ela, treze. Romance à moda antiga, na porta de casa. O namorado não trabalhava, mas sempre tinha dinheiro para os doces e sorvetes que trazia para ela e o irmão menor. Dizia que a mãe lhe dava uma boa mesada.

Aos dezenove anos, Jaçanã foi preso em flagrante roubando uma residência da vizinhança e encaminhado para o Pavilhão Nove do Carandiru. Margô tomou um choque, jamais imaginou que estava apaixonada por um ladrão, embora a Vila Guarani inteira soubesse.

— Ele era tudo para mim. A única pessoa que perguntava se eu estava alegre ou triste e se precisava de alguma coisa.

Depois de dois meses sem vê-lo, Margô ouviu de uma vizinha experiente em assuntos prisionais a sugestão para que falsificasse o documento de identidade, prática frequente entre menores que visitavam presos, segundo assegurou.

De posse do RG, ela amanhecia todo domingo na porta da Detenção. Levava doces, pães, pacotes de macarrão, biscoitos, refrigerantes e os maços de cigarro que conseguisse comprar com o dinheiro das faxinas em casas do bairro.

Quando ficou grávida, o pai a colocou na rua, não estava para sustentar mulher de vagabundo.

Sem ter para onde ir, procurou a mãe do namorado, que lhe ofereceu a casa até que o filho saísse da cadeia, arranjasse emprego e pudesse começar vida nova.

O bebê nasceu com a cara do pai, mas com a pele mais clara.

Com o filho sob os cuidados da avó aposentada, Margô arranjou emprego num escritório de advocacia na rua Senador Feijó, a poucos metros da praça da Sé. Serviço leve e entre pessoas educadas como nunca havia conhecido: cuidar da copa e servir café para clientes e funcionários, obrigações pelas quais ganhava o suficiente para as necessidades do filho, as compras semanais que amenizavam as penas do namorado preso e os presentes que levava ao irmão mais novo nas visitas furtivas à casa da mãe na ausência do pai.

— Edu era meu orgulho, primeiro da classe, queria ser engenheiro.

Quando Jaçanã foi solto, alugaram um apartamento na Cohab Tiradentes. O filho continuou com a avó.

— Ela gostava muito do menino. Acho que é porque tinha a pele mais clara do que a nossa. Vivia exibindo a brancura do menino para as vizinhas.

A felicidade do casal não foi duradoura. O marido continuou a roubar, com o agravante de que na Detenção conhecera o crack. Chegava em casa em horários disparatados, irritado, morto de sono, disposto a enguiçar com Margô à menor contrariedade; às vezes trazia algum dinheiro, às vezes pegava o dela.

Uma noite, quebrou todos os pratos da casa; os vizinhos chamaram a polícia. Não o deixaram sair da delegacia: havia dois mandados de prisão expedidos contra ele.

Margô passou quase um mês sem notícias, até receber um telefonema clandestino da cadeia de Poá. E assim recomeçou a via-sacra das visitas, com as sacolas de mantimentos.

Depois de alguns meses, ela perdeu o emprego. Quando ficou sem dinheiro e com o aluguel atrasado, Jaçanã sugeriu:

— Tem um jeito de eu te ajudar: traz droga pra cadeia.

Foi apresentada à mulher de um preso com experiência na área.

No domingo seguinte:

— Peguei cinquenta gramas de maconha, macetei bem, apertei, enrolei com aquela fita adesiva bege, lubrifiquei com creme vaginal e passei pela revista sem problema.

Cumpriu durante três anos essa rotina semanal, atividade que lhe rendia entre mil e 1200 reais por mês, quantia que, somada ao salário de diarista em casas de família, lhe permitia ajudar a sogra no sustento do menino e o irmão nos estudos.

Uma noite, por telefone, Jaçanã avisou que tinha retirado o nome dela do rol de visitantes. Não adiantava insistir, estava apaixonado por outra.

— Fiquei com ódio. Como ele podia me dispensar assim, depois de tudo que eu tinha feito por ele?

No domingo seguinte, voltou à cadeia com a intenção de fazer um escândalo se o surpreendesse com a rival. Foi barrada na portaria, seu nome de fato não constava da lista.

Dias mais tarde, em outro telefonema, ele disse que não iria deixá-la na mão. Preocupado com a situação financeira da mulher que o ajudara tanto, passou-lhe o nome de um amigo preso numa cadeia da capital.

— O Cidão está precisando de uma ponte, a dele caiu na

portaria na semana passada. Vai colocar seu nome no rol. Pode render até mais do que você ganhava comigo.

Movida pelo rancor, Margô foi conhecer o rapaz, decidida até a ter um caso com ele.

— Além de me vingar, eu precisava do dinheiro. Tinha me acostumado a ganhar sem esforço.

No primeiro encontro Cidão estabeleceu as regras:

— Só trabalho com cocaína. Você traz a droga e descansa na minha cela por algumas horas: se entrar e sair dá na vista dos funcionários. Eu espero do lado de fora, você é ex-mulher de um companheiro preso, o Comando autorizou tua entrada aqui, mas não admite talaricagem.

A previsão do ex-namorado se realizou: seus rendimentos subiram para cerca de 2500 reais por mês.

Na rotina dessas visitas, Margô notou o interesse de um agente penitenciário.

— Quando era plantão dele, não tirava os olhos de mim. Na entrada e na saída.

— Você retribuía?

— Ah! Ele era bonitão, mas ter caso com polícia de cadeia é problema.

Num domingo, enquanto ela descansava na cela, Cidão foi pegar um chinelo de pano embaixo da cama.

— Agora, o que dá mais que cocaína é celular. Você descostura a sola do chinelo, envolve o celular e os chips em duas folhas de carbono, descarrega a bateria, pra ele não tocar, leva num sapateiro pra costurar de novo, bem caprichado, e traz no meio das compras. Se te pegam não é droga, a contravenção é menor.

Margô acha que a mudança de atividade a deixou com ar mais tenso quando passou pela revista. A funcionária pediu para tirar a calcinha, ficar de cócoras entre dois banquinhos e tossir com força. Nada. Depois revirou o conteúdo da sacola.

— Que chinelo pesado!

Saiu para passá-lo no detector de metais e voltou com um colega para a documentação fotográfica.

Quem era o colega?

— Justamente o que flertava comigo.

Em volta dela e dos chinelos, formou-se uma roda de funcionários e de visitantes curiosos.

— Todos me olhando, a maior humilhação.

Quando a responsável pela revista perguntou quem a levaria para lavrar o flagrante na delegacia, o funcionário que flertava com ela se ofereceu.

Sentada no banco da frente, entre o admirador e o motorista, ela jurou ser a primeira vez que tentava passar com um telefone.

— Não menti. Só não falei dos três anos traficando.

Pararam a viatura numa feira, comeram pastel e tomaram caldo de cana. Em tom de pesar, ele a censurou:

— Não sabia que você era ponte. Que decepção, uma moça tão bonita! Como é que um homem tem coragem de fazer isso com a mulher? Eu não faria com a minha.

Na delegacia, o funcionário cuidou pessoalmente dos detalhes burocráticos, conversou com um investigador, com o escrivão e foram embora.

— Me deixaram no metrô. Ele pediu meu telefone.

Começaram a se encontrar com a condição de que ela parasse as visitas à cadeia. Quanto aos problemas financeiros, que não se preocupasse, ele a ajudaria.

Margô viu ali a oportunidade para mudar de vida. Por indicação do novo namorado, conseguiu trabalho com carteira assinada numa confecção do Brás. Sonhou até em trazer o filho e o irmão mais novo para morar com ela.

A recaída veio num telefonema de Cidão:

— Quer ganhar 5 mil?

Sábado bem cedo ela tomou o ônibus para Londrina. Voltou

na mesma noite com três quilos de pasta de coca na mochila. Na rodoviária, comprou uma passagem e embarcou para Campinas.

Estava tão tranquila que pegou no sono. Acordou quando o ônibus parou no acostamento. Três policiais subiram e começaram a andar entre os passageiros. Pararam para revistar dois rapazes no banco ao lado dela.

— Nessa hora senti um calafrio. Tinha esquecido de jogar fora o papel com o endereço da entrega.

O esquecimento ia contra a recomendação expressa e insistente que Cidão lhe havia feito. Ela devia ter decorado o nome e o número da rua e jamais delatar ou deixar vestígios que conduzissem aos destinatários da encomenda, em caso de apreensão.

Quando um dos policiais a viu mexendo disfarçadamente na bolsa, quis saber: "O que você tem aí?".

Não adiantou jurar que era o endereço da tia. Enquanto lavravam o flagrante numa delegacia do centro de Campinas, a polícia cercava o local indicado no papelzinho apreendido.

No final do tiroteio, havia quatro traficantes mortos, dois fugitivos e um policial baleado, que faleceu no hospital.

Sem ter ideia do desfecho, Margô foi transferida para a penitenciária naquele mesmo dia. Estranhou ir para a ala do Seguro.

Depois de três dias isolada, sem explicações, foi chamada na enfermaria.

Veio a assistente social com uma folha de fax na mão.

— Era a cópia do atestado de óbito do meu irmão, executado por vingança, com dois tiros na cabeça.

— Desse dia em diante, eu vivo por viver.

Em nome da lei

O desfecho de casos semelhantes ao de Margô, consequência terrível do caminho enveredado sem noção clara dos perigos inerentes a ele, não desestimula as centenas ou milhares de pontes que introduzem drogas ilícitas nos presídios do país inteiro.

Nem todas, no entanto, são traficantes profissionais, muitas o fazem por razões mais nobres. São mães, esposas, namoradas, tias, avós ou irmãs de presos que juram estar condenados à morte caso não paguem dívidas contraídas com assassinos implacáveis, chantagem que muitas vezes serve apenas para lhes garantir crédito adicional com traficantes internos ou obter lucro com a venda da mercadoria.

É grande o número de condenadas por esse tipo de crime na penitenciária. Quando lhes pergunto por que motivo estão lá, respondem: "33 Portaria". As penas costumam chegar a quatro anos, ainda que sejam rés primárias.

São traídas pelo medo e pela inexperiência ao passar pela revista. Uma funcionária encarregada dessa função há anos descreve a estratégia para identificá-las:

— Pegar todas é impossível. Mas, se a gente estiver esperta, reconhece na fila da revista uma que está agitada, pálida, com o olhar inquieto. Eu olho para ela e continuo meu trabalho, depois olho de novo, e de novo, até chegar a vez dela. Aí pergunto o que tem dentro da pacoteira e analiso a voz e a expressão facial. Às vezes dou a mão para cumprimentar. Se estiver gelada, já era.

Surpreendidas na portaria, são levadas para a delegacia e, de lá, para um presídio. Não voltam para casa naquela noite nem nos dias seguintes. Quase sempre deixaram crianças, as mais velhas tomando conta das pequenas.

Joyce teve três filhos com um pequeno empresário do ramo de reciclagem em Engenheiro Marsilac, na Zona Sul, rapaz empreendedor que chegou a ter oito funcionários e um sobrado com três quartos.

Numa das crises econômicas que assolam o Brasil desde sempre, a empresa foi à falência. Perderam casa, amigos, carro, tiraram as crianças da escola particular e alugaram um apartamento acanhado no terceiro andar de um prédio sem elevador na Vila Sônia, distante dos familiares.

Joyce conseguiu emprego de secretária num consultório odontológico no Jabaquara, com expediente das oito da manhã às duas da tarde, carga horária que lhe permitia cuidar da casa e dar assistência aos filhos.

O marido foi trabalhar como vendedor numa fábrica de cosméticos populares. Seu sucesso foi vertiginoso. Em seis meses já ganhava o suficiente para comprar um carro novo, TV de tela plana, fogão de seis bocas, freezer e trocar os colchões dos quartos. Mudariam de bairro e os filhos deixariam a escola pública assim que terminasse o ano letivo. Quando Joyce recomendava moderação, ele respondia que eram tempos de aproveitar a vida, que a pobreza pertencia ao passado.

Num fim de semana em que acomodavam a bagagem no

porta-malas do carro para aproveitar o feriado de Sete de Setembro num hotel-fazenda, ele saiu para ir ao supermercado e não voltou.

Foram três dias de buscas, até o telefone tocar. Era da delegacia.

Joyce nem trocou de roupa. O delegado explicou que o marido era procurado por assalto à mão armada e participação numa quadrilha de alta periculosidade, especializada em assaltar carros-fortes, bancos e joalherias em shoppings.

Ao vê-lo abatido na galeria, com a barba por fazer e sem coragem de olhar para ela, Joyce só conseguia suplicar que ele negasse tudo. Não podia ser verdade.

Ela o visitava no Cadeião de Pinheiros, conjunto formado por quatro prisões superlotadas na Zona Oeste da cidade. Passados alguns meses, começou a estranhar nele o comportamento intempestivo, a grosseria no trato e os palavrões que antes não pronunciava na presença da esposa.

Ficou aturdida quando ele veio com a velha história das dívidas e da morte certa por falta de pagamento.

Nas primeiras vezes, Joyce pediu dinheiro emprestado ao padrinho de casamento e a um primo, únicas pessoas em condições de ajudá-la. Quando não teve mais a quem recorrer, concordou em levar cem gramas de cocaína, porque o marido garantiu que seria a primeira e a última vez: a transferência para o semiaberto estava para sair.

Foi presa. Na delegacia, pediu para avisarem o primo do marido. As crianças tinham ficado sozinhas em casa, a mais velha tinha onze anos.

No dia em que conheci Joyce, havia cumprido dez meses de uma condenação de quatro anos e pouco. Quando perguntei com quem estavam os filhos, os olhos se encheram de lágrimas.

— A de três anos está com a prima dele, o de cinco com os

padrinhos de casamento e a mais velha com os avós paternos no interior.

Nos dez meses só recebera visita da prima, que uma vez tinha levado a de três anos, que não parava de falar da mãe. Dos outros, só notícias por carta.

Menos afortunadas são as que não têm família por perto, condição que as obriga a ver as crianças espalhadas em casas alheias ou recolhidas em abrigos sob a responsabilidade do Conselho Tutelar. As que têm filhos mais velhos e a felicidade de morar em casa própria muitas vezes preferem que eles vivam sozinhos porém juntos, condição na qual adolescentes de treze, quinze anos se tornam chefes de família.

O que a sociedade ganha trancando essas mulheres por anos consecutivos? O que representa, no volume geral do tráfico, a quantidade de droga que cabe na vagina de uma mulher? Que futuro terão crianças criadas com mãe e pai na cadeia? Quantas terão o mesmo destino?

As mulheres-ponte flagradas todos os fins de semana nas portarias poderiam ser condenadas a penas alternativas e a sanções administrativas, como a proibição de entrar nos presídios do estado. O preso a quem se destina a encomenda poderia ser punido com a perda de benefícios e a extensão da pena.

Qualquer solução seria mais sensata do que a atual: elas vão para a cadeia, os filhos ficam abandonados em situação de risco e o homem que encomendou a droga arranja outra ponte para manter o fluxo de caixa.

Presente de Natal

Inês sentou na minha frente com a mão cobrindo a boca e as partes laterais da face, como se estivesse com dor em todos os dentes. Quando perguntei qual era a queixa, afastou o cabelo para expor uma nesga de rosto e começou a chorar.

Era uma forma grave de acne numa moça de traços delicados, raridade naquele recinto de mulheres malcuidadas. As lesões se espalhavam pelas regiões malares e se agrupavam ao redor do queixo, escuras, salientes, muitas das quais infectadas, com saída de secreção purulenta que ela enxugava, envergonhada, com uma toalhinha.

Quando a mãe de Inês se separou do terceiro companheiro, mudou com os quatro filhos para o Bom Retiro, nas imediações da estação da Luz. A filha jamais lhe perdoaria tamanha irresponsabilidade.

— Levar meus três irmãos e eu, na época com treze anos, bonitinha de chamar a atenção, para morar numa quebrada cheia de ladrão e traficante?

As consequências foram desastrosas. Dos quatro filhos, um rapaz morreu assassinado aos dezenove anos, outro estava preso em Araraquara e ela na Penitenciária da Capital:

— Só meu irmão menor virou cidadão.

Aos quinze anos, Inês se apaixonou por Bina, moreno de olhos verdes que trabalhava para Capixaba, gerente de uma biqueira da alameda Cleveland, nas proximidades do Liceu Coração de Jesus, colégio antigo de São Paulo em que meu pai e meus tios estudaram, mas que nos últimos anos acabou ilhado pela Cracolândia mais populosa da cidade.

Ambiciosos, Bina e um companheiro de trabalho concluíram que o gerente os explorava: enquanto os dois se arriscavam nas ruas, o chefe só aparecia para abocanhar a parte do leão.

Duas da madrugada, quando Capixaba entrava com uma garota de programa num hotelzinho da rua Aurora, a dupla chegou de moto. Foram oito tiros: Bina deu cinco, o parceiro mais três.

A execução não foi vista com bons olhos pelos superiores. O distribuidor, de quem o gerente recebia a droga, achou que a punição devia ser imediata. Se o crime ficasse impune, como estar seguro de que o próximo não seria ele?

A dupla foi emboscada na esquina em que vendiam crack. O parceiro recebeu a maior parte dos tiros. Baleado na perna e no braço, Bina só escapou com vida porque, mesmo caído, acertou um tiro no peito de um dos pistoleiros e ainda contou com a Providência: o revólver do outro inimigo emperrou no instante fatal.

Ferido, refugiou-se na casa da avó, em Cangaíba, bairro junto à Penha, na Zona Leste da cidade. Duas semanas depois, Inês estava sozinha em casa, quando um rapaz bateu palmas no portão. Era um primo do namorado.

— O Bina pediu pra buscar você. Está morto de saudades.

Foi o tempo de juntar as roupas, pegar a boneca de estimação e deixar um bilhete para que a mãe e os irmãos a perdoassem, ia em busca da felicidade.

A vida em comum num cômodo nos fundos da casa da avó de Bina durou até ele ser preso no assalto a um posto de gasolina na Vila Matilde, em que foi o único dos três ladrões a sobreviver ao tiroteio com a polícia e os seguranças.

Inês arranjou emprego numa loja de armarinho do bairro e continuou a morar nos fundos da casa. Às sextas-feiras, preparava duas sacolas com as comidas de que o namorado mais gostava, os maços de cigarro que conseguia comprar, e madrugava na porta do Centro de Detenção Provisória do Belém. Fizesse sol ou caísse chuva, cumpriu essa mesma rotina durante três anos, sem falhar. No dia em que ele foi libertado, passou seis horas em pé junto ao portão da cadeia para recepcioná-lo.

Bina estava mudado. Por indicação de um companheiro de xadrez, fora batizado pela facção. Agora tinha que pagar a mensalidade para ajudar os que continuavam presos, mas contava com a proteção e os contatos da confraria. A época do tráfico miúdo em ruas imundas entre noias maltrapilhos, dos assaltos nos semáforos, dos roubos de transeuntes, dos arrombamentos de pequenos comércios da periferia pertencia ao passado. Recém--diplomado na universidade do crime, tinha sonhos grandiosos. Ganharia muito mais, reformaria a casa da avó, compraria roupas e joias para ela e iriam passear nas praias da Bahia. Nem que vivesse cem anos esqueceria a lealdade da mulher que não o abandonara no cárcere.

Com a ajuda da irmandade, Bina subiu na hierarquia do tráfico. Comercializava mais de meio quilo de pasta de coca por semana, parte da qual era para consumo dele e de Inês, que resolvera experimentar a droga para acompanhá-lo.

Ela também mudou. Em pouco tempo, começou a cheirar todos os dias, parou de trabalhar, renovou o guarda-roupa, reatou os laços com a mãe. Mas não era feliz: o companheiro estava cada dia mais agitado e distante, chegava a passar uma semana sem dar notícia. Na volta, contava que tinha viajado para cuidar de negócios em Mato Grosso; se ela fizesse perguntas ou porventura reclamasse, ficava nervoso e ameaçava ir embora, já tinha problemas de sobra na rua.

Depois de uma dessas ausências prolongadas, Bina chegou antes do jantar, evento raro.

— Estava carinhoso, delicado, outro homem.

A polícia tinha apreendido três pacotes de um quilo endereçados a ele. Como havia tratado que o transporte correria por sua conta e risco, assumira uma dívida que não tinha como saldar. A solução, entretanto, estava a caminho: naquela semana sequestrariam o dono de uma empresa de ônibus, e com os 10 milhões do resgate ele e os três comparsas ficariam ricos. Depois do golpe, o casal pegaria um avião para a Bahia, o sonho de sua fiel companheira.

Como não seria prudente incluir estranhos na equipe, propôs que Inês se juntasse ao grupo para cozinhar e ajudar na vigia da vítima.

Ela diz que aceitou participar do plano porque naquele dia não estava em juízo perfeito, mas sob o efeito da cocaína, que consumia em doses cada vez mais generosas. Nem lhe passou pela cabeça que a polícia pudesse invadir o cativeiro, libertar o refém e prender todos sem disparar um tiro.

Ao descerem do camburão que os levou à delegacia, a segunda surpresa.

— Ele deu um jeito de chegar perto de mim e falar baixinho: "Se disser que eu era o chefe dessa fita, mando te matar".

Na ocasião da consulta médica, fazia oito anos que estava presa. Nesse período, nem uma carta, telefonema ou um simples recado do namorado que jamais a esqueceria ainda que vivesse um século. A gratidão eterna que os criminosos do mundo do crime juram para suas amadas expira no exato instante em que elas cruzam os portões da cadeia, ainda que aliciadas por eles.

A acne era um drama à parte na existência de Inês. Por causa das feridas na face, terminara um relacionamento amoroso de dois anos com Cidoca, condenada por haver matado a amante do marido que a abandonou com três filhos e grávida do quarto. Passava os dias fechada na cela com tanta vergonha do próprio rosto que penteava o cabelo sem se olhar no espelho. As presas do pavilhão cochichavam à sua passagem e evitavam chegar perto, com medo de contágio.

Suspeitei que a causa de seus males fosse a síndrome do ovário policístico, condição em que alterações hormonais justificariam as lesões da pele, a distribuição anômala de pelos no corpo e a infertilidade, responsável por não haver engravidado depois de anos de atividade sexual sem contracepção. Receitei anticoncepcional e um antibiótico para a infecção.

Nos meses seguintes, Inês voltou diversas vezes, melhor e mais animada com o resultado do tratamento. Gradativamente, as lesões secaram e se tornaram menos salientes, até adquirir o aspecto de pequenas manchas que clareavam devagar. Voltou a sair da cela e a olhar o rosto no espelho. A ex-namorada propôs uma reconciliação que ela rejeitou.

Passei três meses sem vê-la. Imaginei que tivesse sido libertada ou transferida para o regime semiaberto.

Dez dias antes do Natal voltou para uma consulta. Estava irreconhecível, sorridente, com o olhar esfuziante e o rosto liso, sem manchas. Tinha cortado o cabelo, que antes mal lhe deixava os olhos de fora.

— Nossa! Como a pele ficou bonita. Pensei que você já estivesse na rua.

Explicou que não retornara ao consultório porque as lesões

tinham desaparecido. Vinha agora apenas para demonstrar gratidão e me desejar feliz Natal.

Sentada na minha frente, inclinou-se sobre a mesa e colocou a mão em meu braço, intimidade inusitada.

— Doutor, o senhor me deu outra vida. Quando vim para a primeira consulta, já tinha tentado o suicídio.

Puxou a manga da blusa e exibiu cicatrizes de cortes paralelos no pulso esquerdo.

— Tenho pensado como retribuir o bem que o senhor me fez. Fico me perguntando o que vou dar para um homem que tem tudo e eu nada.

Respondi que não se preocupasse, o agradecimento e o rosto agora bonito já me deixavam feliz. Ela insistiu, com um olhar sedutor.

— Mas eu preciso lhe dar um presente. Vim decidida a oferecer a única coisa que posso dar.

Levei alguns segundos para admitir que interpretava corretamente o sentido da frase que acabara de ouvir.

Precocidade

Jéssica disse que ouviu meu nome pela primeira vez aos dez anos. O pai, dois tios e um avô haviam assistido às minhas palestras quando cumpriam pena no Carandiru.

Nascida no extremo da Zona Sul de São Paulo, foi com aquela idade que se deu conta da cisão familiar.

— Na família da minha mãe era tudo zé-povinho; na do meu pai, tudo bandido.

Na convivência com os dois universos, ao contrário de seus três irmãos, que seguiram os conselhos e as orientações maternas, a primeira menina nascida na família do pai foi atraída para o mundo do crime.

— Meus tios e meus primos andavam de moto, roupa de marca, faziam festas e me davam presentes que ninguém da minha escola ganhava.

Do lado da mãe, em contrapartida:

— Era gente que tomava ônibus cheio para trabalhar todo dia e passava o domingo na cama para descansar. Vida mais insossa, a única alegria era conseguir pagar as contas no fim do mês.

Entre os parentes do pai, não havia uniformidade de ofício:

— Metade traficava, a outra metade assaltava.

Aos catorze anos, Jéssica descobriu a vocação.

— Importar a mercadoria, fazer acerto, vender no varejo e só depois receber o dinheiro não é pra mim, demora muito. Meu negócio é preparar, ir para a fita e voltar pra casa com o dinheiro.

A curiosidade era tanta que, aos doze anos, não havia quem conseguisse tirá-la de perto quando os tios se reuniam para planejar um assalto. Ouvia quietinha, fascinada, como se estivesse num filme.

Ia fazer catorze anos quando o tio mais velho perguntou que presente de aniversário gostaria de ganhar.

— Participar de um assalto com vocês!

O tio pediu que escolhesse outro, era criança ainda, mas ela não se conformou. Passou a assediar os primos, que reagiram da mesma maneira. De tanto insistir, conseguiu convencê-los com o argumento de que as vítimas não desconfiariam da aproximação de uma menina com jeito de bem-comportada e mal saída da infância.

A oportunidade surgiu quando dois deles resolveram assaltar uma transportadora que oferecia vaga para auxiliar de escritório.

Ela se apresentou na portaria com o recorte do jornal e foi levada à sala do gerente, no primeiro andar.

Atrás da escrivaninha, o homem não levantou os olhos da máquina em que somava uma pilha de notas fiscais.

— Estava tão distraído que custou para entender a voz de assalto que eu dei, com o revólver apontado.

Depois de alguma hesitação, ele levantou, abriu o cofre e lhe entregou três pacotes de dinheiro e cheques, que ela enfiou na mochila atrás das costas.

Concluída a operação, trancou o gerente no banheirinho anexo à sala, desceu as escadas e atravessou o pátio em direção à portaria, na frente da qual os primos a esperavam num carro roubado na véspera.

Assim que passou pelo porteiro, Jéssica foi surpreendida pelos gritos de pega ladrão e pelo estampido de tiros que vinham do interior da transportadora. Agachados atrás do carro, os primos atiraram contra os seguranças, para que ela pudesse atravessar a rua e chegar até eles.

Mal os três entraram no carro, uma bala estilhaçou o para-brisa dianteiro. Com a visibilidade prejudicada, o motorista bateu as laterais do carro duas vezes antes de chegar à rua em que outro comparsa os esperava num caminhãozinho de mudança.

Sentada na carroceria, Jéssica sentiu um ardor quente na coxa esquerda. Só então notou o sangue empoçado.

Levava nas mãos uma pasta com cadernos e livros quando deu entrada no pronto-socorro, amparada por uma tia. Ela alegou que a sobrinha estava a caminho da escola quando foi atingida por uma bala perdida no tiroteio entre dois grupos rivais da comunidade.

Jéssica só tem elogios ao atendimento do sus:

— Fui muito bem tratada, as enfermeiras e os médicos morreram de pena de mim.

Está condenada a mais de oitenta anos, por um latrocínio e quatro assaltos à mão armada, entre os mais de cinquenta de que participou.

Consultei Jéssica numa segunda-feira de calor. Quando comecei a escrever a prescrição, ela deu um salto para trás que derrubou a cadeira. Tomei um susto, mas a julgar pelo olhar aterrorizado, o dela parecia bem pior. Só entendi por que apontava para o meu ombro ao sentir os passos da barata em meu pescoço.

Com nojo e dificuldade, consegui derrubá-la com o bloco do receituário e pisar nela. Jéssica demorou para se recompor.

— Desculpa não ter ajudado o senhor, tenho pavor desse bicho.

Tia Maluca

O tamanho do prontuário médico denunciava muitos anos na cadeia, no decorrer dos quais diversas consultas psiquiátricas e o uso crônico de quatro ou cinco medicamentos tarja preta. Baixinha, encorpada e com voz rouca, ela entrou com um jeito arredio, cara de poucos amigos e já dizendo:

— Quero um remédio para tuberculose.

— Quem falou que você está com tuberculose?

— Tá todo mundo pondo agasalho e eu tirando. Depois ponho, enquanto as outras tiram.

— Explica melhor, minha filha.

Ela mudou de expressão e levantou os olhos. Tive a impressão de que a havia desarmado ao chamá-la de "filha", mais por hábito do que por intenção.

As ondas de calor atacavam principalmente à noite. Vinham acompanhadas de sudorese e seguidas por "arrepios de um frio do polo Norte". Quando perguntei se já estivera por lá, moveu os músculos do rosto como se fosse sorrir.

Expliquei que esses sintomas vasoativos nada tinham a ver com o bacilo de Koch, simplesmente prenunciavam a menopausa numa mulher de 48 anos. Depois de examiná-la, preenchi a folha de prescrição e recomendei que parasse de fumar. Já tinha fechado o prontuário, quando ela comentou:

— Se o senhor soubesse o que eu já fiz, não tinha me tratado bem assim.

— Fez o quê?

— Matadora profissional.

— Profissional?

— O senhor não ganha a vida tratando de gente doente? Eu ganhava a minha matando de encomenda.

Contou que tinha vindo do sertão do Piauí no fim dos anos 1980 e fora morar na Zona Leste, com o marido e o filho de seis anos. Alguns meses depois de instalados para lá de Itaquera, o menino teve um quadro de febre alta, dor de garganta e de cabeça.

— A gente não tinha recurso, morava longe e não conhecia a cidade. Só procuramos socorro quando as manchas da meningite apareceram no corpo.

Ficou abalada com a morte da criança.

— Parei de cuidar de mim e da casa. Passava o dia de camisola, no sofá, olhando os tijolos da parede, sem ânimo para mover uma palha. Nem comida eu fazia.

Preocupado, o marido pediu ajuda a uma vizinha, que a levou ao posto de saúde.

— Foi até pior. Me encheram de remédios que me deixavam dopada o dia inteiro.

Uma noite, dois homens assaltaram a fábrica em que o marido trabalhava como vigia, no mesmo bairro. Um deles atirou na direção da guarita.

O enterro foi num dia de chuva. Só compareceram ela e um representante da empresa.

— Quando ouvi o baque da primeira pá de terra no caixão, falei pro coveiro: "Quem fez isso vai pagar".

O quadro de depressão apática deu lugar à determinação ansiosa de encontrar a dupla que praticara o crime.

Foi à delegacia do bairro. Depois de horas de espera, ouviu que a ocorrência havia sido lavrada e que era preciso aguardar as investigações. Três dias mais tarde, a mesma demora e explicação idêntica, dessa vez em tom impaciente.

— Senti que iam me enrolar. Investigar? Ir atrás de quem matou um nordestino pobre que não conhecia ninguém?

Procurou o gerente de uma biqueira na favela, decidida a comprar uma arma para resolver o problema por conta própria.

— Minha vida voltou a fazer sentido.

Com o argumento de que revólveres causam danos em mãos inexperientes, o traficante se negou a vendê-lo. Não adiantou dizer que estava amedrontada, convencida de que uma mulher sozinha corria perigo naquela vizinhança.

No dia seguinte, a mesma resposta; na terceira tentativa, igual. Nem sabe quantas vezes retornou até conseguir o 38 e a munição, mas foram tantas que fez amizade com os frequentadores da biqueira, mais jovens do que ela, entre os quais tornou-se conhecida como Tia Maluca.

Nas conversas com eles, achou a pista. O primeiro assaltante morreu encostado num balcão de botequim. O segundo, ao subir na moto na porta de casa.

— Difícil foi descobrir quem eram e onde moravam; atirar foi só abrir a bolsa e pegar o revólver. Quem vai adivinhar que uma mulher de olhos azuis com ar de evangélica é a Morte?

Nos minutos que antecederam a execução do primeiro, ela estava trêmula, dominada pelo medo e pela ansiedade. Na do segundo, ocorrida quinze dias depois, foi diferente.

— Quando vi o corpo despencar da moto, senti uma adrenalina forte, como se eu fosse dona do mundo.

A vingança repercutiu no meio da bandidagem. O gerente da biqueira mandou chamá-la, para saber se tinha noção de quem eram os dois homens mortos. Não adiantou negar a autoria dos crimes: no botequim havia testemunhas de que tinha sido uma mulher cuja descrição correspondia à dela, provavelmente a mesma que uma vizinha viu sorrindo diante do corpo agonizante ao lado da moto. Segundo o gerente, só podia ser alguém com muito ódio. Que mulher ousaria enfrentar sozinha dois ladrões com fama de matadores inclementes?

Sem que ela confirmasse ou negasse a autoria, ele concluiu:

— Tia Maluca, talvez a gente precise de você.

A proposta não esperou uma semana: 5 mil reais para dar fim num concorrente que invadira os domínios do patrão.

Sem pressa, ela se aproximou e fez amizade com uma das namoradas do invasor. Descobriu que os dois se encontravam todo fim de tarde na casa da moça, única ocasião em que ele não contava com a vigilância onipresente de dois guarda-costas.

As duas conversavam sentadas na sala, quando o rapaz entrou de calça jeans e camiseta do Santos. A morte o surpreendeu pelas costas, diante da geladeira aberta, com a mão na garrafa de cerveja.

— Quando vi aquele homão gordo, que dava o dobro de mim, cair sem largar a cerveja, senti outra vez a força daquela adrenalina.

Trancou a amiga no quarto e foi embora:

— Em paz. Uma paz profunda.

O quarto assassinato aconteceu dois meses mais tarde, a mando de uma senhora abandonada pelo marido.

Vieram outras encomendas.

— O primeiro tiro eu dava na cabeça, só pra ver o corpo despencar e provocar aquela sensação que me deixava poderosa. Depois vinha uma tranquilidade que durava dias.

Vavá

Vavá tem rosto feminino, mas jeito de homem.

— Nasci no corpo errado, costuma dizer.

O cabelo oxigenado é raspado dos lados, cortado escovinha no topo da cabeça e fixado com gel para permanecer espetado. A linguagem é clara, articulada, sem gírias nem erros de concordância.

Ao contrário da maioria esmagadora das mulheres presas, não teve a infância de privações nem de maus-tratos; pelo contrário, foi criada numa casa ampla, com jardim e um quintal que chegava à rua de trás, em um bairro arborizado de uma cidade do Vale do Paraíba, junto à via Dutra, que liga São Paulo ao Rio de Janeiro. Seus problemas foram de identidade.

— Minha mãe diz que eu só gostava de brincar de revólver e arco e flecha. Quando me davam boneca eu arrancava os braços e jogava no lixo.

Fazendeiro no sul do Pará, o pai vivia mais para a pecuária do que para a família. Era homem de poucos estudos, enérgico, habituado a dar ordens, criado no cabo da enxada desde os sete anos, como repetia com orgulho. Passava poucos dias em casa e voltava para a fazenda, de onde só voltaria três ou quatro semanas mais tarde. A esposa desconfiava que ele tivesse outra no Pará.

Quando Vavá tinha seis anos, chamaram sua mãe na escola. Na sala, aguardavam a diretora, a professora e um padre com um pote de água benta e o bastão para exorcizar a menina, espantar de seu corpo o demônio que a fazia beijar na boca as coleguinhas do pré.

Depois da quinta sessão de exorcismo, a diretora e o padre concluíram que o resultado deixara a desejar. A solução seria o psiquiatra.

Por meia hora, o médico conversou a sós com ela. Quando a mãe entrou, foi sucinto:

— Não há o que fazer. Sua filha tem mentalidade masculina.

A mulher não se conformou. Se a mentalidade da filha era essa, teria que ser mudada.

Foi o que tentou fazer por anos consecutivos. Com paciência ou na falta dela, proibiu a filha de ter qualquer contato físico com outras meninas, jogar bola com a molecada na rua, vestir calça comprida e empinar pipa, sua brincadeira predileta. Na puberdade, insistia que namorasse um dos meninos da vizinhança. Vavá diz que os conselhos só a deixavam mais confusa:

— Como eu ia namorar com os meus amigos? Gostava de ficar com eles, mas desejo eu só tinha por mulher. Até fingia ser como as outras da minha idade, ficava infeliz com o sofrimento da mãe, morria de medo que meu pai descobrisse, mas desejo a gente não controla, é água morro abaixo.

Para evitar que se aproximasse de outras meninas, a mãe não a deixava sair sozinha, obstáculo que a filha contornou com o auxílio da prima.

— Ela me apresentou o irmão do namorado dela, para fingir que era meu pretendente. Minha mãe ficou tão feliz, coitada.

O estratagema funcionou bem até o menino tentar beijá-la e passar a mão em seus seios. A reação não foi amigável.

— Dei um soco na cara dele.

Impressionada com o olho inchado do rapaz, a prima comentou a agressão com a tia, que, desacorçoada, chamou a filha:

— Não sei mais o que fazer. Até aqui enfrentei sozinha sua falta de vergonha, agora seu pai vai ter que me ajudar.

Vavá pediu pelo amor de Deus. Bronco do jeito que era, ele perderia a cabeça, não seria capaz de entender um tipo de atração sexual que nem ela mesmo compreendia.

Os três se reuniram formalmente na sala de casa num sábado à noite.

A mãe descreveu em ordem cronológica as histórias da escola, as sessões de exorcismo, o parecer do psiquiatra, conselhos, ameaças e proibições acumuladas no decorrer daqueles anos. Cheia de vergonha, Vavá permaneceu de cabeça baixa o tempo todo. O pai ouviu calado.

No final, foi lacônico:

— Eu gosto de mulher, ela também. Tem bom gosto.

A anuência paterna foi um bálsamo para o espírito da adolescente.

— Não precisava mais fingir que era alguém que eu não era.

A primeira paixão aconteceu aos dezoito anos: uma professora casada, mãe de dois meninos, que se tornou amiga inseparável e a primeira mulher com quem teve relações sexuais de verdade.

Para comemorar os dezenove anos, ela e a namorada secreta organizaram um churrasco para mais de cinquenta convidados na beira da piscina do sítio da família, a vinte quilômetros do centro da cidade, comemoração que mudaria seu destino.

Um dos convidados, Marcinho, o melhor amigo de infância,

contou que faria uma viagem para comprar maconha em Mato Grosso. Queria saber se não poderia escondê-la no sítio por dois ou três dias, até a chegada do comprador de São Paulo. Qualquer problema com a lei, ele assumiria a responsabilidade, confessaria que era frequentador do local e se aproveitara da confiança da família.

Vavá diz que, se não tivesse acabado de fumar um baseado, não teria autorizado; sob o efeito dele, entretanto, não viu mal algum, achou até divertido.

A operação deu certo. Agradecido, Marcinho lhe trouxe de presente uma caixa de madeira com o desenho de um beija-flor na tampa. Em seu interior, vinte notas de cem reais.

Com a caixa na mão, Vavá quis saber detalhes da operação. O amigo de infância descreveu a viagem de carro até a fronteira com o país vizinho, o hotelzinho de Cáceres, às margens do rio Paraguai, em que se hospedou à espera do carregamento, o acondicionamento dos cinquenta quilos no fundo falso do porta-malas e os comprimidos de anfetamina que o mantiveram acordado na viagem de volta do Mato Grosso, direto para São Paulo, a fim de diminuir o risco de apreensão.

Vavá perguntou se na viagem seguinte não poderia acompanhá-lo. A parceria traria a vantagem da alternância no volante e de fingirem que eram um casal em lua de mel.

A motivação?

— Não foi por dinheiro, não me faltava nada. Fiquei excitada com a história e com vontade de viver uma aventura que me tirasse daquela vidinha de interior.

Companheiros desde crianças, os dois se deram bem.

— Para despistar, cada vez a gente ficava num hotel, dormia em cama de casal, andava de braço dado e ria quando alguém falava: "O senhor e sua esposa".

A facilidade com que iam e voltavam com quantidades cada

vez maiores de maconha criou a necessidade de viajar com veículos mais espaçosos. Em nome dela, compraram um utilitário, depois uma caminhonete e, finalmente, um caminhão que carregava troncos de eucalipto para uma transportadora, no meio dos quais escondiam a droga.

No sítio, a maconha era acondicionada em sacos plásticos empilhados no interior de caixas-d'água de quinhentos litros vedadas com fita adesiva e enterradas em áreas de declive para não acumular a água da chuva.

O armazenamento trazia a vantagem de garantir a comercialização mesmo no inverno, época em que a produção cai e os preços sobem.

Por razões de segurança, só vendiam no atacado.

— Tínhamos meia dúzia de clientes que compravam pelo menos cinquenta quilos, às vezes mais, para distribuir pelo interior. Quanto menos gente envolvida no negócio, melhor.

Como não podiam depositar em banco o dinheiro arrecadado, davam a ele o mesmo destino da maconha estocada embaixo da terra. Para despistar e lavar o dinheiro, Vavá abriu uma loja de roupas em sociedade com a namorada, que desconhecia a origem obscura do capital.

— Eu dizia que as viagens para o Mato Grosso com o Marquinhos eram para cuidar de uma das fazendas do meu pai, comprar e vender gado. Ela não fazia perguntas.

A sociedade na loja criou o álibi perfeito para passarem os dias juntas e viajarem. Quando iam fazer compras na rua 25 de Março, no centro de São Paulo, hospedavam-se no Maksoud Plaza, hotel de luxo junto à avenida Paulista, jantavam em bons restaurantes e passeavam pelo Shopping Iguatemi, o mais chique naquela época.

— A gente era discreta na nossa cidade, lá ninguém estranhava a amizade. O marido dela nunca desconfiou, deixou até a gente viajar com os meninos para a Disney. Fomos de classe executiva, voltamos com oito malas.

Um dia apareceram duas moças na loja, filhas de um comprador. Vavá tratou de tirá-las de lá, fazia de tudo para manter a namorada alheia às atividades ilegais.

Na padaria em frente, a mais velha contou que o pai caíra nas mãos da polícia uma semana antes. Tinham conseguido juntar o bastante para comprar cinco quilos, quantidade que lhes daria o suficiente para os honorários do advogado.

Quando Vavá respondeu que não vendia a varejo, as irmãs começaram a chorar. Disseram que não tinham como conseguir o dinheiro, nunca haviam se metido nos negócios do pai nem conheciam outra pessoa que pudesse socorrê-las.

— Fiquei com pena. Liguei pro Marquinhos desenterrar cinco quilos. Ele ficou bravo, falou que era perigoso vender para quem não era do ramo, muita gente grande tinha ido parar na cadeia por uma mancada dessas.

Ela insistiu na solidariedade, o pai delas era um dos melhores fregueses, homem de palavra, sempre correto nos pagamentos.

Com os cinco quilos no porta-malas as duas pegaram a estrada para São Paulo. Por azar, a menos de vinte quilômetros do sítio, um dos pneus traseiros passou em cima de um prego. Por mais azar ainda, quem parou no acostamento para ajudá-las foi um carro da Polícia Militar que por acaso vinha atrás.

Dois meses depois, Marquinhos e Vavá entravam no sítio com oitocentos quilos de maconha na carroceria do caminhão de lenha, quando a polícia chegou.

Na delegacia, o interrogatório foi amigável.

— Não adiantava mentir, eles estavam na nossa campana desde que prenderam as irmãs. Mostrei todos os esconderijos, só não entreguei os nomes de quem vendeu nem falei do dinheiro enterrado. Na época, foi a maior apreensão do Vale do Paraíba, saiu no *Jornal Nacional*, na cidade ninguém imaginava que o Marquinho e eu fôssemos traficantes.

Vavá chorou ao descrever o encontro com a mãe e a namorada na delegacia.

— Morri de vergonha e culpa, doutor, elas não tinham ideia. É muito triste fazer sofrer quem a gente mais ama.

Estava presa havia cinco anos, menos da metade da pena a que fora condenada por tráfico, com o agravante da associação. Da antiga namorada nem notícias.

— Ela foi chamada na delegacia para prestar declaração. Ficou muito magoada.

Na penitenciária, Vavá conheceu Leila, garota de programa de olhos negros e traços árabes que fazia dança do ventre numa boate da Zona Norte, presa por esfaquear o homem que vivia às custas dela.

O romance das duas durou três anos.

— Sou sapatão original. Embora aqui tenha mulher para todos os gostos, não sou desses que muda de parceira como quem troca de cueca.

Tem orgulho de dizer que a fidelidade não foi por falta de opção.

— Sapatão original na cadeia tem uma mulher por hora, se quiser. Volta e meia eu recebia um pepê de alguém que se candidatava a substituir a minha mulher.

Pepês, os bilhetes trocados entre as presas, não faltaram assim que Leila foi transferida para o semiaberto.

— Às oito horas da manhã seguinte, quando fui pegar o pão no bolso da toalhinha pendurada pra fora do guichê, tinha 54 pepês dizendo que me achavam lindo e dando o número da cela para me conhecer melhor.

— Cinquenta e quatro, Vavá?

— Já teve 54 mulheres a fim do senhor ao mesmo tempo, doutor?

O amor de Marilisa

Aos seis anos, Marilisa pegava na enxada feito gente grande. Só parou de trabalhar na roça com os dois irmãos mais velhos e as duas mais novas quando o proprietário vendeu a fazenda e a família se mudou para São Paulo.

Ficaram hospedados com um tio, até o pai arranjar emprego de pedreiro e alugar uma casinha sem acabamento numa favela da periferia de Perus, na Zona Norte.

Marilisa e as irmãs puderam estudar e os mais velhos aprender a profissão do pai. Com o tempo, economizaram o suficiente para comprar a casa, que ganhou reboque, pintura e mais dois cômodos.

A harmonia familiar foi quebrada quando a mãe morreu e o marido, desgostoso, deu de beber. Marilisa tinha dezessete anos e não sabe explicar o que aconteceu com ela.

— De uma hora para a outra perdi o interesse, tudo parecia sem sentido. Larguei a escola no segundo colegial.

E começou a cheirar cocaína, fácil de achar nas ruas do bairro. Alguns meses depois, traficava para poder comprar. Os irmãos não conseguiram convencê-la a abandonar a droga e as amizades, o lucro fácil falou mais alto. Passou a usar menos e a vender mais.

— Não saía gastando por aí. Ajudava minhas irmãs mais novas, meus irmãos e meu pai, que entrou para a igreja católica e largou a bebida. Todos eram contra mim, mas aceitavam o dinheiro que eu trazia.

Aos 22 anos, quando foi presa, o pai rompeu com ela. Aos 24, em liberdade, foi morar sozinha. Nunca mais usou cocaína.

Com os contatos e a experiência adquirida na cadeia, foi melhor nos negócios, mas a repressão não a deixava em paz.

— Nunca fechei com polícia. Pagou uma vez, vai pagar sempre.

Para escapar da perseguição, alugou uma biqueira longe de casa, no Jardim Helena, na Zona Leste.

Pagava de 12 mil a 15 mil reais pelo quilo de cocaína, quantidade que comercializava em uma semana. O papelote de baixa qualidade era vendido por dez reais e o "*nine-nine*", com menos mistura, por vinte ou trinta reais. Um pelo outro, a margem de lucro atingia 100%.

Por uma peça de crack (um quilo), pagava entre 9 mil e 10 mil reais. Com as cápsulas vendidas por dez reais, a lucratividade ultrapassava os 100%.

Entregou-se ao trabalho de corpo e alma. Chegava ao esconderijo em que funcionava a biqueira pontualmente às seis da tarde, para distribuir a droga entre os "vapores" que saíam para vendê-la, orientar os meninos que monitoravam a aproximação de estranhos, dar ordens aos rapazes da segurança e supervisionar as meninas que trabalhavam na preparação das cápsulas. Passava a madrugada inteira no atendimento aos vendedores, que iam buscar mais mercadoria e receber os 20% da parte que tinham vendido. Só voltava para casa ao amanhecer.

Dormia das sete ao meio-dia, fazia café, a contabilidade da noite anterior, as compras de pão, queijo, mortadela e refrigerantes que oferecia ao pessoal da noite e ia atrás dos atacadistas que traziam a droga da Bolívia.

— O tráfico é um comércio como outro qualquer, você compra no atacado e vende no varejo. Se não controlar direito, o lucro evapora.

De segunda a quinta-feira, levava para casa de oitocentos a mil reais toda noite, quantia que podia triplicar nos fins de semana. Os ganhos mensais variavam entre 60 mil e 80 mil reais.

Como não participava da venda a granel nas esquinas e tomava o cuidado de manter o estoque na casa de uma senhora paraplégica, que recebia mil reais por mês pela guarda, os policiais encontravam dificuldade para incriminá-la.

— Estava sempre de mão limpa. Prendiam os vapores, queriam saber de onde vinha a droga, mas nesse negócio precisa ser louco para abrir a boca.

O profissionalismo, a retidão de conduta, a honestidade nos acertos financeiros, a sabedoria para resolver conflitos por meio do diálogo e a generosidade com as pessoas da vizinhança impunham respeito até entre os concorrentes, com quem procurava manter um relacionamento cordial.

Assumiu as responsabilidades e o comando da família. Comprou casa para os irmãos e as irmãs, dava roupas, material escolar e brinquedos para os sobrinhos, ajudava o tio que os acolhera na chegada em São Paulo e as pessoas necessitadas da comunidade. Quando o pai ficou doente, reatou com ele e triplicou a quantia mensal que nunca havia parado de enviar. Hoje tem a consciência tranquila.

— Até morrer, meu pai teve conforto e carinho. Visitava ele todo dia, levava de táxi para o hospital, não deixava faltar remédio, fazia o supermercado e a feira, contratei duas senhoras para cuidar dele, uma para o dia, outra para a noite.

Com tantos afazeres profissionais e familiares, não lhe sobrava tempo para a vida pessoal. Não saía para se divertir, dos dezessete aos 26 anos teve dois namorados, com os quais nunca baixou a guarda:

— Só conhecia gente do meu meio e tinha receio de me envolver.

Aos 26 anos, conheceu Juan Ernesto, colombiano de 35, radicado em São Paulo, que trazia cocaína do Mato Grosso numa caminhonete de carga.

— Quando o Juan pousou aqueles olhos pretos nos meus, estremeci.

Passaram a semana juntos.

— A mais feliz da minha vida.

Vinte dias depois, na volta de uma viagem a Santa Cruz de la Sierra, ele tocou a campainha com uma surpresa.

— Me abraçou forte e tirou do bolso uma caixinha de veludo com duas alianças de ouro.

Mudaram-se para um apartamento no centro, junto ao viaduto Santa Ifigênia; estavam bem de vida, ele não queria vê-la naquela casinha humilde.

Ela alugou a casinha humilde por quinhentos reais, a biqueira por 20 mil reais e passou a trabalhar com o marido. Ficava a seu encargo a distribuição da pasta de coca trazida da Bolívia por ele e um sócio brasileiro. Subiu na hierarquia, não lidava mais com vendedores de papelotes e cápsulas, os clientes agora eram poucos e selecionados entre os compradores de pelo menos dois ou três quilos.

Guardavam a droga em casa, bem como o dinheiro obtido nas transações, prática que Juan considerava mais segura, por diminuir os riscos de ir e vir, mas que preocupava Marilisa, acostumada a se manter distante do estoque.

A vida amorosa seguiu em harmonia.

— Quando ele voltava de viagem, era como se fosse a primeira vez. Jamais chegou sem um presente.

Nesses períodos faziam o possível para limitar as saídas a uma ou outra entrega de emergência, passavam os dias no apartamento, vendo TV e conversando na cozinha enquanto ele preparava os pratos colombianos que a mãe lhe ensinara.

Em junho de 2013, depois de uma viagem especialmente lucrativa, Juan veio com uma proposta:

— Amor, de que serve o dinheiro se vivemos em sobressalto? Por que não compramos uma fazenda na Colômbia, para ter filhos e tranquilidade?

Apesar da perspectiva de se afastar da família, Marilisa se entusiasmou com a ideia, também estava cansada do perigo. Fizeram planos, seria na região de Pasto, junto à fronteira com o Equador, no meio da cordilheira dos Andes, cidade em que ele havia nascido. Criariam gado e plantariam café.

Juan falou com um primo fazendeiro e calculou que, se investissem todas as economias numa compra grande, bastariam três viagens para juntar 400 mil dólares, capital mais do que suficiente para adquirir as terras, comprar gado e recomeçar a vida.

Tudo correu conforme o planejado até a polícia rodoviária parar a caminhonete nas proximidades de Botucatu, no fim da segunda viagem, e prender Juan Ernesto e o sócio com setenta quilos de pasta de coca acondicionada em sacos de fertilizante.

Marilisa dormia quando os policiais bateram à porta. Com a autorização deles, telefonou para o irmão mais velho e avisou que estava indo com o marido para a Colômbia.

Foi condenada a seis anos e oito meses. Na penitenciária, sem receber visita, voltou a traficar. Surpreendida com quarenta gramas de cocaína escondidos no encaixe de uma prateleira da cela, passou trinta dias no Castigo e teve a pena acrescida de outros seis anos.

Falou do acréscimo da pena com a expressão de quem revela uma fatalidade irremediável. Esperança de reencontrar Juan?
— Melhor não ter.

Nica

Quem ouve as histórias de Nica supõe que aconteceram no decorrer de um século. Incrível que, em quarenta anos, alguém tenha acumulado tamanha experiência.

Mais nova de oito irmãos criados numa família de pequenos agricultores do norte do Paraná, começou a trabalhar na roça com oito anos, quando perdeu o pai.

Desanimada com as agruras do campo, a mãe juntou os cinco filhos mais novos e migrou para São Paulo. Nica arranjou emprego de doméstica numa casa de família. Tinha dez anos incompletos.

Não sabe explicar por que fugiu dessa casa aos treze anos e foi parar num hotelzinho da rua Aurora, no centro de São Paulo, uma das mais famosas da antiga Boca do Lixo.

— Essa parte parece que apagou da minha mente.

Uma semana depois, quase sem dinheiro, conheceu o dono de uma agência de turismo que a convidou para acompanhá-lo em uma viagem de trabalho. No hotel de Belo Horizonte, ele a apresentou como sobrinha.

— Foram três dias de princesa. Passeávamos pela cidade, comíamos em restaurantes, ele falava das viagens, dos lugares que conhecia, no maior respeito, não relou a mão em mim.

O sonho terminou assim que a mãe de Nica foi a um programa de TV comunicar o desaparecimento da filha.

Advertido pelo gerente do hotel, o benfeitor chamou um funcionário da agência, que estava prestes a fazer uma viagem para Santos, e recomendou que a deixasse na casa da mãe dela, em São Paulo.

— Ele disse pro tal funcionário que eu era linda, mas uma criança.

Em Santos, quando viu o mar, Nica ficou encantada, aproveitou uma distração do funcionário e fugiu.

Passou um mês a perambular pelas ruas com outros menores, pedindo ajuda aos transeuntes. Dormiam na areia e tomavam banho no mar. Um dia, uma companheira contou que viajaria para o Rio de Janeiro com três amigos maiores de idade. Nica foi junto. Quando avistou a estátua do Cristo Redentor, pediu para descer do carro, ajoelhou na calçada e rezou para agradecer a Deus pela liberdade da vida que levava.

Depois de uma semana vagando pela cidade e dormindo na praia de Copacabana, decidiram voltar. Na via Dutra, o motorista se queixou que a direção do Fusca travava nas curvas. Só então Nica soube que o carro era roubado e o defeito mecânico uma consequência da ligação direta.

Desceram para pedir carona. Ao ver duas meninas e três rapazes ao lado do carro no acostamento, um caminhoneiro parou para socorrê-los. Quando percebeu que iriam abandonar o Fusca, o motorista arranjou um pretexto para subir na boleia, deu a partida e foi embora.

A polícia chegou em seguida.

Separada dos companheiros na delegacia da cidadezinha, Nica foi estuprada pelo carcereiro durante a madrugada.

— Perdi a virgindade com treze anos, com um cara que cheirava a álcool e me tapava a boca para não gritar.

O martírio não durou três minutos.

A mãe e um dos irmãos foram buscá-la no dia seguinte. Envergonhada, não falou do ataque sofrido.

Durou pouco a permanência na casa da família.

— Não aguentava aquela vida, queria liberdade.

No centro da cidade outra vez:

— Fiquei fascinada com os encantos da noite. Apesar de menor, dancei em boates, fiz striptease, shows, prostituição, cheguei a participar de um programa de TV.

Na boate, foi apresentada a um ladrão com o triplo da idade dela que convivia maritalmente com um menino de dezenove, ex-parceiro de cela no Carandiru.

Apaixonado por Nica, o ladrão largou o rapaz e foi pedi-la em casamento para os familiares.

Alugaram um apartamento nas imediações da quadra da escola de samba Vai-Vai, no Bexiga. Ele roubava, ela cuidava do lar.

O relacionamento durou quatro anos:

— Fui feliz, mas acho que ele gostava mais de mim do que eu dele.

Quando romperam, o ladrão a levou de volta à casa da mãe:

— De hoje em diante, ela não é mais da minha responsabilidade.

Maior de idade, Nica voltou à vida noturna. E foi na noite que conheceu Juninho do Gatilho, outro ladrão profissional, com quem teve uma filha. Virou "cunhada", nome atribuído às mulheres dos irmãos que fazem parte do Comando.

Viveram juntos por cinco anos.

— De respeito e parceria. Com ele conheci o crime a fundo.

Sente saudades daquele tempo, em que havia procedimento no mundo dos marginais.

— Mulher não andava com essas sainhas que mostram tudo, não tinha baile funk. Hoje o cara chega na casa do parceiro casado, tira a camisa na frente da mulher do outro e pega uma cerveja na geladeira sem pedir licença. Cadê o respeito?

Nos primeiros assaltos, foi escalada para a função de "cavalo inicial e final", personagem a quem cabe transportar as armas para o local do assalto e aguardar os comparsas em fuga com o produto do roubo. A beleza ajudava.

— Eu era a única mulher da quadrilha, ia arrumada, bem bonitinha, nenhum polícia desconfiava que o porta-malas carregava um arsenal. Entra um, sai outro, a quadrilha existe até hoje.

Assaltavam caminhões de entrega de eletrônicos, empresas de distribuição de vale-refeição, carros-fortes, garagens de ônibus, agências bancárias. No final, pagavam os companheiros e os 10% a 20% que cabiam ao "pé de porco" (informante), de acordo com a relevância das informações passadas. O restante o casal dividia em partes iguais.

Não malbaratavam dinheiro, investiam em armas.

— Fuzil, metralhadora, revólver 38, pistolas de vários tipos. Compramos duas 633 com bala de nove milímetros, pente alongado, que dá 32 tiros e tem regulagem para rajada ou disparo separado.

A guarda do material era responsabilidade dela. Recursos financeiros não lhes faltavam; além dos roubos, alugavam o armamento para outras quadrilhas, negócio de risco baixo e rentabilidade alta.

— Cada arma tem seu aluguel. Um revólver sai barato, serve para um assalto pequeno ou um acerto de contas; metralhadora e fuzil são para coisa grande, custam bem mais caro.

O risco de inadimplência da clientela é desprezível.

— Se o assalto deu errado, faz outro na correria, mete a mão no bolso, pega emprestado, TVN (te vira neguinho).

— E se as armas forem apreendidas pela polícia?
— Problema do inquilino, doutor. Não pagou? Vai ter consequência, infelizmente, que o baguio é doido.

Com o dinheiro arrecadado, Nica e Julinho do Gatilho compraram uma refinaria no interior para a transformação da pasta importada da Bolívia em cocaína em pó e crack.

Juninho, traumatizado pelos oito anos que havia cumprido no antigo Carandiru, jurava que nunca mais voltaria à cadeia, razão pela qual não se separava de duas pistolas.

— Nem para ir ao banheiro, doutor.

Um dia, um pé de porco falou de um chinês contrabandista que morava num condomínio nas proximidades de Jundiaí, no interior paulista. A prima do informante, empregada doméstica da casa, teria ouvido que no cofre havia mais de 200 mil dólares, fora as joias.

Nica organizou o ataque: roubariam um caminhão de entrega das Casas Bahia, para passar pela portaria do condomínio. Ao volante, Juninho; ela, no banco ao lado, com uma prancheta na mão; no baú do caminhão, Balalau, Andrezinho Manco e o ex-pugilista Luisão Nariz de Ferro.

O assalto foi um sucesso. Ao abrir a marretadas o cofre, que levaram para um sítio vizinho, quartel-general da quadrilha, encontraram 77 mil dólares, pedras semipreciosas e 150 mil reais.

Para comemorar, os homens resolveram ir a um restaurante das proximidades. Ela insistiu para não irem, tinha um pressentimento.

— Não fui com eles. Tem duas coisas que eu não gosto: assaltar em agosto e no mês do meu aniversário, abril.

Corria o mês de agosto. Ao estacionar no pátio do restaurante, os cinco foram cercados por quatro viaturas da polícia. Contra o bom senso, Juninho saiu do carro atirando. Foram metralhados. O único que conseguiu fugir foi Andrezinho Manco.

Nica não foi ao velório nem teve tempo de viver o luto da viuvez. Já no dia seguinte foi batizada pelo Comando e assumiu o controle dos negócios.

— Deixei de ser cunhada, passei a ser a irmã encarregada da disciplina nas vizinhaças de Jundiaí.

Mostrou estar à altura das responsabilidades exigidas pela irmandade.

— De cara, chamei para uma reunião os traficantes e os bandidos de mais responsa na área.

Nomeou em cada bairro dois disciplinas, controlados por um Salve diário, com as ordens a cumprir. Suas funções eram proibir a venda de droga em porta de escola, o consumo em lugares públicos e os assaltos a trabalhadores e comerciantes da região, acabar com as brigas nos bailes e coibir assassinatos sem autorização expressa do Comando, mesmo em caso de estupradores pegos em flagrante.

— O respeito e a justiça em primeiro lugar.

Além do controle disciplinar, ficavam a seu cargo a distribuição de cestas básicas para as famílias dos irmãos presos e para as pessoas mais carentes da comunidade, além da arrecadação de fundos com as rifas, fonte de renda importante para a organização.

— Todo traficante de bob esponja (maconha) e de IML (cocaína e crack) era exigido pagar uma porcentagem pela proteção que a gente dava.

A racionalidade com que resolvia disputas e aplicava as leis do crime impôs respeito nas comunidades.

— Antes de mim era tudo meio à moda caralho. Ali montei meu império, fiz minha fama, minha cama, deitei nela e vim pra cadeia.

A prisão ocorreu por culpa de Andrezinho Manco, o único irmão a escapar com vida na emboscada que a polícia armou no estacionamento do restaurante. Quando os companheiros descobriram que ele era informante de um dos policiais que participara da ação, ordenaram que ela montasse uma equipe para ir atrás do traidor.

A tarefa se mostrou particularmente espinhosa, porque um dos estatutos do Comando diz que um irmão não pode ser morto por outro sob nenhuma condição. O renegado precisava ser preso com vida, julgado, expulso das hostes da irmandade e só então condenado à morte.

Com três companheiros, ela foi ao encontro do desafeto num churrasco, numa chácara em Valinhos, cidade da região metropolitana de Campinas onde nasceu o compositor Adoniran Barbosa. No carro levavam algemas e uma corda para imobilizá-lo.

— Descemos do carro, na entrada da chácara, descontraídos, como se tivessem convidado a gente.

Desconfiado, Andrezinho se antecipou à aproximação dos quatro.

— Ele puxou o revólver e atirou antes que a gente desse voz de prisão. Um dos meus meninos caiu morto com um tiro na cabeça, o outro tomou um tiro nas costas que deixou ele paraplégico e eu levei uma bala que está até hoje nas costas. O único ileso foi o Zé Neguinho, que se escondeu atrás de um barracão.

Prender o desafeto virou questão de honra para ela, Zé Neguinho e o Comando. Foi obrigada a abandonar os negócios e afazeres pessoais para ir atrás do agressor. Nos Salves que transmitia diariamente aos sintonias e disciplinas, Nica insistia que qualquer pista de Andrezinho deveria ser comunicada de imediato.

Quarenta dias depois do entrevero na chácara, chegou a informação de que o fugitivo passava as noites na casa de um primo, no Jardim Veloso, em Osasco, na Zona Oeste.

Ela, Zé Neguinho e outro irmão, Vidal, pararam o carro na rua da casa às cinco da manhã. Os dois homens vestiam uniforme da Eletropaulo.

A casa era sem reboque, com fiação elétrica emaranhada no poste em frente. Na laje, haviam começado a construir outro cômodo.

Às sete horas, uma mulher saiu pela porta da frente com uma sacola. Zé Neguinho e Vidal tocaram a campainha, Nica ficou no carro, pronta para se aproximar assim que os comparsas dessem o sinal.

De repente, os tiros. Andrezinho apareceu na laje, olhou ao redor, e pulou para a casa da rua de trás. Nica ficou sem saber se devia perseguir o fugitivo ou ir em socorro dos companheiros.

Quando parou o carro em frente à casa, Vidal, com uma mancha de sangue no peito, tentava arrastar o corpo inerte de Zé Neguinho para fora.

— A morte do Zé Neguinho me abalou. Era meu protegido, tinha só dezenove anos. Ali deu vontade de abandonar o crime.

A prisão do fugitivo aconteceu três meses depois, sem violência, na praia de Mongaguá, no litoral sul de São Paulo. Andrezinho foi surpreendido por quatro homens, que o imobilizaram enquanto tomava sol, estendido numa esteira e de olhos fechados, ao lado de uma namorada que o atraíra até o local em troca de 30 mil reais.

Uma semana depois do julgamento, expulsão oficial da irmandade e execução do traidor com mais de cem tiros, a polícia bateu à porta da casa de Nica.

— Sabiam tudo de mim, quanto a refinaria faturava e para quem eu vendia. Sabiam até que eu tinha organizado a caçada ao Andrezinho e participado da execução.

Desde o dia em que me contou sua vida, Nica sorri para mim, como se fôssemos amigos de muitos anos, quando nos vemos na galeria. Numa dessas vezes vinha com o cigarro aceso.

— Para de fumar, deixa de ser covarde.

Ela levou um susto. Senti que havia usado uma palavra forte, agressiva no mundo do crime. Pedi desculpas, disse que era brincadeira.

— Depois do que o senhor me ajudou, não tem do que se desculpar, doutor.

— Que ajuda?

— O senhor me examinou e ouviu a história da minha vida.

Celas especiais

Quem passa pela portaria da penitenciária chega ao pátio interno com as palmeiras-imperiais e os patos grasnando no cercado. Na frente, está o edifício principal, com as escadas que levam à administração e à sala da diretoria, embaixo das quais fica a porta gradeada que dá acesso ao interior dos pavilhões. À esquerda, afastado pelo menos cinquenta metros do corpo do presídio, está um prédio isolado de quatro andares, cujas celas já serviram a propósitos diversos: Seguro para proteger as ameaçadas de morte, Berçário para os bebês nascidos no presídio e, mais recentemente, uma ala especial em que cumprem pena as mulheres com curso superior, privilégio inexplicável garantido por lei.

No início de 2017, as celas especiais albergavam cerca de vinte prisioneiras, boa parte das quais condenada por atividades ilícitas praticadas no departamento jurídico do Comando.

Invariavelmente, essas presas alegam ser vítimas de prisões arbitrárias, resultantes do desrespeito à privacidade que a lei assegura aos advogados nas interações com seus clientes, justificativa questionada pelas autoridades que as surpreenderam em escutas telefônicas, transmitindo aos escalões inferiores as ordens recebidas da clientela mantida nas penitenciárias de segurança máxima.

Presa em 2013, uma das advogadas que atendi lamentava estar na cadeia apenas por ter guardado em seu escritório cadernos com a relação dos 12 mil membros do Comando batizados no estado de São Paulo até aquele ano.

— Por acaso, fazer um favor a um cliente é crime?

Estávamos no início de 2017. Quando perguntei quantos membros a facção teria naquela data, ela respondeu:

— Deve andar em torno dos 40 a 50 mil.

Perguntei se não seria uma estimativa exagerada. Ela respondeu que não.

Outra advogada, morena alta, uma das líderes das celas especiais, contou ter caído numa escuta telefônica na qual combinara trazer para São Paulo uma mala que pertencia a um cliente.

— Eu vinha para São Paulo mesmo, o que custava? Como ia saber que eram 800 mil reais em dinheiro e três quilos de cocaína, se a mala estava fechada?

Sabrina, morena clara de cabelo curto e fisionomia triste, nunca se meteu com o crime organizado. Filha única de uma funcionária de escola pública no interior do estado, foi criada pela mãe viúva, dona Eulália, que tinha o firme propósito de levá-la à universidade.

No primeiro ano do curso de pedagogia, engravidou. O namorado, colega de faculdade, foi solidário.

— Assumiu a responsabilidade e foi morar na minha casa.

Ficou por conta de dona Eulália o sustento da filha, do genro e do neto, quando nasceu.

Recém-formado, o casal conseguiu emprego e se mudou para um sobrado na vizinhança. Dona Eulália, já aposentada, tomava conta do menino de manhã ao fim da tarde, quando a filha passava para buscá-lo na volta do trabalho.

A vida de Sabrina seguiu sem incidentes até o marido ser transferido para uma cidade a duzentos quilômetros de distância. Ela não se adaptou.

— Ele ia embora na segunda antes do dia clarear e voltava só na sexta-feira à noite. Começamos a ter ciúmes e a controlar a vida um do outro. O tempo todo era aonde você foi, que horas chegou, conversou com quem? Quanto mais ciúmes eu sentia dele, mais ele tinha de mim.

Para evitar as brigas, começaram a mentir. Foi pior.

— Cada mentira que um de nós pregava só fazia aumentar a desconfiança no outro. Depois de dois anos nesse inferno, a gente se separou e ele aceitou a transferência do emprego para o Rio Grande do Sul. Casou de novo e nunca mais viu o filho.

Sabrina voltou para a casa da mãe, onde morou com o menino por seis anos, até conhecer um engenheiro nascido na Alemanha que tinha o dobro da idade e do tamanho dela.

Casaram em seis meses e tiveram uma filha, nascida uma semana depois da morte de dona Eulália.

Com o nascimento da menina, sem a mãe para ajudar, Sabrina saiu do emprego; o marido ganhava bem.

— Ele era um homem honesto, trabalhador, não deixava faltar nada, mas tinha um defeito: tudo tinha que acontecer do jeito dele, só ele sabia organizar as coisas, só ele tinha razão.

A rigidez sistemática do cônjuge a obrigava a manter a casa na mais absoluta ordem. Os enfeites tinham que estar dispostos na mesma posição em cima dos móveis, os quadros perfeitamente alinhados na parede, os cabides pendurados no armário com as camisas de manga curta separadas das de manga comprida. Um chinelo esquecido na sala, um jornal mexido, um livro fora da estante, virava um drama. As empregadas não paravam no emprego.

Os problemas maiores, quem enfrentava era Carlinhos, o filho do primeiro casamento, pré-adolescente, mais interessado nas redes sociais do que nas obrigações escolares. A cada nota baixa o padrasto se exasperava.

— Chamava o menino de vagabundo, ordinário, dizia que pagava a escola mais cara da cidade para que ele fosse alguém, enquanto o ingrato desperdiçava a oportunidade.

Como punição ao enteado relapso, proibia-o de sair com os amigos e prometia ficar sem lhe dirigir a palavra até as notas melhorarem.

— Chegava a passar dois meses sem olhar na cara do menino. Eu só ficava bem com meus filhos até ele chegar. Era ouvir a chave na porta, o Carlinhos corria para o quarto e a menina, pequenininha, parava de brincar.

Para aliviar a tensão em que vivia, Sabrina decidiu fazer pós-graduação; queria voltar a trabalhar. O marido a apoiou. Com a filha agora em tempo integral na escola e empregada para cuidar da casa, a esposa não tinha por que passar o dia inteiro pensando besteira.

Regressar à faculdade deu outra dimensão à sua vida.

— Voltei a estudar e a rir no meio dos colegas.

Foi quando apareceu um professor de literatura brasileira.

— Era tudo o que eu admirava num homem: culto, educado, gentil com todos. Além disso tinha uns olhos...

Na última aula do curso o professor a convidou para um sanduíche. Duas horas mais tarde, quando saíram da lanchonete, Sabrina estava apaixonada.

Passaram a se encontrar num motel na entrada de uma cidade vizinha, sempre à tarde, como convinha a duas pessoas casadas.

O marido estranhou o ar de felicidade da esposa e contratou um detetive particular.

Uma noite, depois que os filhos foram dormir, ele leu, diante dela, o relatório do detetive, no qual constavam os locais, as datas e os horários dos encontros. Tudo nos mínimos detalhes, até as roupas que ela tinha usado.

Sabrina não teve alternativa senão confessar que estava apaixonada, e queria o divórcio. O marido riu:

— Você acha que investi tanto dinheiro em você e no seu filho para acabar assim? Está enganada, vão ficar aqui e trabalhar até pagar o que gastei com vocês.

Abriu o cofre cujo segredo só ele sabia, e tirou um livro-caixa, no qual constavam os gastos que tivera com ela e o filho no decorrer dos sete anos de vida em comum.

— Tudo anotado, com as datas: roupas, escola do menino, a minha pós-graduação, presentes de aniversário e Natal, todas as despesas com o meu carro.

O total, calculado com correção monetária, passava de 600 mil reais. Fez questão de dizer que estava sendo generoso, não cobrava aluguel nem alimentação, despesas perdoadas em contrapartida pelo trabalho doméstico e pelos cuidados com a filha do casal.

— Falou que eu podia continuar com o meu amante, que não se importava desde que eu me encontrasse com ele em outra cidade, mas que ia fazer um inferno da minha vida e do meu filho.

Era homem de cumprir palavra. Expulsou-a do quarto e se tornou mais implicante ainda. Tudo era pretexto para gritar com ela e o menino: as roupas que vestiam, os modos, o tom de voz, a ordem na casa. Não havia refeição em que não reclamasse da comida; no auge da irritação, despejava na pia o conteúdo do prato.

Num sábado, ela cortava os bifes de um filé, quando ele entrou na cozinha, tomou-lhe a faca das mãos e a jogou contra a parede.

— Me xingou de imbecil, disse que aquela era a faca de cortar peixe.

Sabrina diz que pegou a faca do chão num impulso. Foi uma única estocada no peito.

O júri acatou a tese de que o crime fora premeditado. O fato de ter um caso fora do casamento agravou a pena: 22 anos.

Quando terminou a história, as lágrimas escorriam pelo seu rosto. Fiquei em silêncio, tenho por conduta não interromper o choro das pessoas.

— Olha quanta desgraça por causa de um minuto de ódio: meu filho ficou sozinho no mundo, minha filha foi embora para a Alemanha com os avós, e eu aqui, com o olhar de pavor do meu marido caído com a faca no peito me atormentando dia e noite.

Chininha

Os olhos puxados lhe deram esse apelido, apesar da pele escura.

O pai bebia e batia na mulher — história que ouvi mil vezes nas cadeias femininas e masculinas —, mas nunca bateu nela nem na irmã. Sob o efeito do álcool tinha delírios de grandeza, ficariam milionários, viajariam em transatlânticos. Na sobriedade, vinha o mau humor e a revolta.

Aos sete anos, Chininha e uma amiga entraram pelo vitrô dos fundos de uma vendinha para roubar chocolates. Levaram também um pacote de cigarros e começaram a fumar.

Aos treze anos perdeu a mãe.

— Comecei a andar com o pessoal da pesada. Meu pai me chamava de rapariga, mas foi com um amigo dele que perdi a virgindade.

Aos quinze, descobriu que o pai escondia as economias no fundo de um armário. Pouco a pouco juntou o suficiente para comprar um revólver usado e entrar para a turma que se reunia à noite na única praça existente no Canta Galo, área pobre do bairro de Pirituba, na Zona Norte.

Assaltavam as peruas de entrega da Souza Cruz e vendiam os maços pela metade do preço nos bares e nas padarias de Jaraguá e São Domingos, bairros vizinhos.

Ao atingir a maioridade, foi embora de casa e fez parceria com Marinho e Zoio Torto, especializados em roubo de carga. Sua função era pedir carona nas estradas e render o caminhoneiro, para que os comparsas saíssem do mato e subissem na boleia.

— Tudo na moral, sem esculacho nem violência.

As mercadorias iam parar nas mãos de um receptador, num depósito localizado nas proximidades da via Anhanguera, que liga São Paulo a Campinas. O pagamento era feito em pacotes de maconha, repartidos entre os três.

Meia dúzia de assaltos depois, Chininha abandonou o ramo por convicções ideológicas.

— Posso ter nascido para roubar, mas não para ser explorada. O intrujão (receptador) ficava com quase tudo. A gente arriscava a vida na estrada e, se quisesse ver a cor do dinheiro, corria risco de ser presa como traficante.

Não foi difícil convencer os parceiros a mudar de atividade, tinha ascendência sobre eles.

Quando praticavam o quinto assalto a supermercado, um carro de polícia que passava pela rua estranhou a movimentação.

— Muito azar, se atrasassem um minuto não pegavam a gente.

Apanhou na delegacia; mais ainda porque se jogou na frente de uma companheira de cela grávida de seis meses, para protegê-la.

Na Penitenciária Feminina, descobriu que ela também estava grávida. O namorado, Rafinha, tinha ido a júri popular pela morte de um desafeto.

Deu à luz na prisão. Depois de quatro meses, o avô paterno foi buscar o menino.

Cumpriu cinco anos em regime fechado. Na primeira semana no semiaberto, fugiu.

— Fui buscar meu filho.

Resolvida a abandonar o crime para recuperar a guarda do menino, foi trabalhar como recepcionista num lava-jato, serviço mal remunerado, sem carteira assinada, mas que lhe permitia morar com a criança num cômodo construído nos fundos.

Três meses mais tarde, recebeu uma carta de Rafinha e teve a infeliz ideia de visitá-lo no Carandiru. Foi identificada e presa na saída. Cumpriu mais três anos no regime fechado.

Em liberdade, foi atrás do filho, que se achava na casa de uma senhora evangélica, a pedido do sogro que havia perdido o emprego.

— Quando vi como o menino gostava daquela mulher, achei melhor ir embora. Que futuro ele teria com a mãe?

Voltou a assaltar, agora de forma diversificada: casas lotéricas, residências, restaurantes, motoristas desavisados. Para criar coragem, tomava duas doses de maria mole, bebida preparada com conhaque e licor Contini.

— Virei clínica geral, doutor.

Depois de roubar uma pizzaria na avenida Rebouças, fugiu com três companheiros num carro roubado. Na troca de tiros com as viaturas policiais que foram no encalço, levou um tiro no queixo.

Cumpriu mais seis anos de pena, até ser transferida e fugir novamente do semiaberto.

Tinha 38 anos, treze dos quais passados na prisão. Sem ter para onde ir, construiu um barraco na favela da Mandioca, em Pirituba.

— Não tinha banheiro, o chão era de terra. Faltava dinheiro até pro ônibus, pra ver meu filho no sábado. Estava cansada de roubar e de me esconder da polícia. Mas fazer o quê?

O acaso houve por bem introduzi-la no universo dos relógios de luxo.

Num assalto a uma lanchonete do Itaim, tomou o relógio de um freguês que relutou em entregá-lo.

— Quase chorou. Se agarrou no relógio e pediu pelo amor de Deus. Precisei engatilhar o revólver na cabeça dele.

Na partilha dos objetos roubados, um dos comparsas exclamou:

— Pô, meu! Um Rolex.

Vendido a 2 mil dólares para um intrujão no centro da cidade, não foi o dinheiro o que mais a impressionou.

— Foi o brilho que ficou na minha mente.

Passados alguns dias, ela parou num ponto de ônibus da avenida Faria Lima, área de bancos, agências de publicidade e escritórios comerciais, à espreita dos carros no semáforo. Não demorou para ver o brilho no pulso de uma mulher no banco traseiro. Bateu com o revólver no vidro. Muito assustada, a moça se negou a entregar o relógio, disse que era de estimação, dava a bolsa, mas o relógio não.

— Fingi que aceitei, só pra ela abrir o vidro. Sorte de principiante, era um Datejust de ouro branco. Fiquei tão excitada que esqueci da bolsa.

Na terceira vez, mais sorte ainda.

— Um Deepsea azul e preto. Valia o preço de um carro. Quando estiquei a mão para pegar, o homem agarrou meu braço. Por pouco não tive que atirar.

Fez parceria com uma mineira mais jovem. A dupla ganhou fama nas colunas policiais e nos programas de TV como "as morenas do Rolex".

A parceria se desfez depois de um assalto em que, além do relógio, levaram uma pasta mal escondida embaixo do banco do passageiro na qual havia 40 mil dólares.

— A parceira pegou os 20 mil e voltou para Minas. Acho que abandonou o crime. Eu ainda roubei vários modelos: Submariner, Daytona, Sub Misto, Completíssimo e até um Breitling de ouro maciço, que vendi por 8 mil dólares.

Como não podia ir às casas de câmbio, trocava os dólares num escritório na Duque de Caxias, que lhe pagava um real por dólar.

Carlito, ladrãozinho que roubava transeuntes nas imediações da praça Roosevelt, no centro, para financiar os mesclados de maconha e crack que fumava, foi aceito como parceiro com a condição de jamais fumar antes de um assalto, sob pena de levar um tiro na boca. Ela continuou tomando as duas marias moles para exaltar-lhe coragem.

Uma tarde, no viaduto Pedroso, quando os dois observavam o trânsito parado na sempre congestionada avenida Vinte e Três de Maio, Chininha localizou o objeto desejado num braço para fora da janela de um carro. Carlito ficou surpreso:

— Você tem olho de águia. Nem apontando eu consigo enxergar.

Ela, porém, teve um mau presságio.

— Rolex na Vinte e Três? Ainda num congestionamento, janela aberta e o cotovelo de fora? Achei melhor a gente não ir, mas ele não quis saber e foi sozinho.

Mal se aproximou com o revólver em punho, o corpo de Carlito foi jogado sobre o capô do carro ao lado, sob o impacto das balas disparadas à queima-roupa pela automática do investigador de polícia que levava o Rolex no pulso.

Foi seu último parceiro. Passou a agir sozinha, sempre na Nove de Julho, no trecho entre o túnel e a avenida Brasil.

— Da cidade até o túnel é prejuízo, só tem relógio mixo.

Uma tarde, depois da espera infrutífera no ponto de ônibus junto à rua Groenlândia, viu que já eram cinco e meia, horário impróprio.

— Hora boa pra Rolex é três da tarde. Gente rica foge do trânsito pesado.

Ao atravessar uma rua vizinha ao voltar para casa, Chininha avistou um relógio no pulso de um motorista ocupado em estacionar o BMW no meio-fio.

— Quando ele ia descer, entrei com o revólver pela porta do passageiro e pedi o relógio.

No reflexo, o rapaz tentou desarmá-la. Levou um tiro.

Fugiu sem levar nada. Algumas quadras à frente, parou num bar e bebeu quatro ou cinco marias moles para se acalmar.

— Fiquei bêbada. Nem vi de onde vieram os polícias que me algemaram.

Na delegacia, assinou o flagrante e mais de vinte boletins de ocorrência sem discutir.

— Todo assaltante é latrocida. Quando vejo um que se bacaneia de nunca ter matado, digo que a sorte foi ninguém ter reagido.

Condenada a 72 anos, Chininha aconselha as mais jovens a jamais chegar perto de um Rolex.

— O brilho dele encanta a pessoa. Enfeitiça a gente e os donos, que reagem. Dão mais valor pro relógio do que pra vida.

Nos doze anos de cadeia desde o último assalto, compreendeu que:

— Roubo é vício, Rolex é maldição.

Até hoje não entende o que leva mulheres e homens a sair de casa com uma joia de milhares de dólares que vai atrair ladrões. Muito menos a atração pelo reflexo que comanda seus olhos e os dirige para o pulso das pessoas antes mesmo de olhar para o rosto.

Conta que, em liberdade, fazia de tudo para sentar do lado da janela nos ônibus só para ficar vendo os relógios das pessoas nos carros que passavam. Entrava em pânico quando avistava um Rolex.

— Meu coração disparava, as mãos ficavam geladas, era um desespero, parecia ataque cardíaco. Eu tinha que descer para respirar e me acalmar.

Embora cansada de tanta cadeia e decidida a mudar de vida para conviver com o neto recém-nascido, ainda é atormentada pela maldição.

— Assisto às entrevistas do Amaury Junior na TV só para ver os Rolex daquela gente chique. Outro dia sonhei com o Presidencial do Silvio Santos. Nunca roubei um Presidencial.

Quanto aos do apresentador Faustão:

— Ele usa diversos, mas alguns são falsos.

Epílogo

Nasci e morei no Brás até os dez anos de idade. Em frente de casa havia uma fábrica, na calçada da qual a molecada jogava bola o dia inteiro. Eram bolas de borracha que estouravam com os chutes mais fortes, imediatamente substituídas por outras feitas com meias velhas e jornal amassado, até que um de nós ganhasse outra de verdade.

O Brás era um bairro cinzento, com a rotina diária marcada pelo apito das fábricas que atraíam os imigrantes em busca do trabalho e da paz que não encontravam na Europa. Os italianos dominavam a paisagem humana — além de maioria eram barulhentos —, mas havia muitos portugueses e espanhóis, como meus avós maternos e paternos, respectivamente.

Boa parte das famílias morava em casas coletivas. Os quartos ficavam dispostos ao longo de um corredor, no fim do qual se alinhavam as cozinhas, um banheiro para todos e um tanque comunitário, causador de disputas e brigas entre as mulheres, ocasiões em que interrompíamos o futebol e corríamos para apreciar da calçada a gritaria e as ofensas que uma lançava à outra.

Os homens saíam cedo para o trabalho com as marmitas embrulhadas em folhas de jornal. Algumas mulheres, entretanto, preferiam mandar aos maridos a comida quente, que chegava a eles quando soavam as sirenes do meio-dia. Com sete anos, comecei a entregar marmitas, meu primeiro trabalho remunerado. A carreira durou até meu pai descobrir e me ameaçar de uma surra caso eu teimasse.

Meu pai ficou viúvo aos 33 anos. Trabalhava de terno e gravata como contador, em dois empregos que o mantinham fora de casa das oito da manhã à meia-noite, descontada a hora do almoço. Era um homem determinado, obcecado pela ideia de levar os três filhos à universidade, pretensão a anos-luz daquele mundo operário, em que os meninos abandonavam a escola aos catorze anos, idade mínima requerida para a contratação nas fábricas.

A morte de minha mãe, quando eu tinha quatro anos, veio seguida de uma liberdade nas ruas que nenhum de meus amigos desfrutava.

Apesar de fabril, havia mais de dez cinemas no Brás. Entre eles, o Piratininga, o maior da América Latina, na avenida Rangel Pestana, e o Universo, na Celso Garcia — única avenida de acesso aos demais bairros da Zona Leste —, que nas noites de verão se dava ao luxo de abrir o teto.

Na rua João Teodoro, ficava o Cine Rialto, cujo gerente era primo de minha avó, parentesco que me permitia entrar de graça e assistir a filmes proibidos até catorze anos. No Rialto, vi os primeiros filmes de guerra e de cadeias, que me fascinam até hoje.

No quarto vizinho ao nosso, morava um primo de meu pai, tio Constantino, com a mulher, Leonor, e o filho, Flávio. Tio Constantino dividia comigo a paixão pelo futebol, pela criação de canários no viveiro do quintal e por um programa transmitido às nove da noite todas as sextas-feiras, na rádio Record, que as mães proibiam as crianças de ouvir.

Chamava-se *O Crime não Compensa*, criado e dramatizado pelo jornalista e escritor Osvaldo Moles. Era apresentado por um delegado de polícia que ganhara fama ao prender Gino Meneghetti — marginal lendário que invadia as casas pelos telhados nas décadas de 1940 e 1950. No programa, o papel do criminoso invariavelmente "preso pela diligente polícia paulista" era interpretado por Adoniran Barbosa, autor de "Saudosa maloca" e "Trem das onze", entre outras composições.

Numa época sem televisão, em que poucos no Brás tinham rádio, tio Constantino juntava os amigos em casa para escutar o programa. Eu sentava no chão, no meio deles, com a condição de que ficasse quietinho, recomendação absolutamente desnecessária. No dia seguinte, a molecada me cercava para escutar as histórias dos crimes, que eu contava com as falas dos personagens decoradas.

Naquele tempo, o crime em São Paulo se limitava a casos passionais, a batedores de carteira nos ônibus e bondes lotados, a brigas de bar e a ladrões que roubavam as casas durante a madrugada, sem despertar os moradores.

Os bandidos mais ousados eram Sete Dedos — O Rei das Fugas —, Promessinha, Luz Vermelha, Boca de Traíra, Amparo Metralha e o célebre Amleto Gino Meneghetti, a respeito de quem eu ouviria muitas histórias no Carandiru, quarenta anos mais tarde.

No fim dos anos 1950, surgiu no submundo a figura do bandido malandro, mistura de ladrão, contrabandista, boêmio, traficante de maconha e anfetamina, explorador do lenocínio e de casas de jogo. Ganharam destaque Hiroito — o Rei da Boca —, Quinzinho, Nelsinho da 45, Brandãozinho, Marinheiro e outros que se concentravam nas imediações das ruas Vitória, Santa Ifigênia, dos Gusmões, dos Andradas e dos Protestantes: a Boca do Lixo.

O mundo marginal me atraía de tal forma que com doze anos eu fugia de casa pela janela, na calada da noite, pegava o bonde, descia na praça João Mendes e andava rápido até a Boca. Não ia atrás de sexo, não tinha dinheiro nem coragem para me aproximar das mulheres nas portas das casas, que me chamavam de nenê e me convidavam para entrar.

Morto de medo, eu ficava parado do lado de fora dos bares em que os homens bebiam cerveja com mulheres de blusas decotadas, batom vermelho no rosto rebocado de maquiagem e risada escandalosa, fumavam e faziam apostas nas mesas de bilhar, ao som dos sucessos de Nelson Gonçalves.

Nos anos 1960, São Paulo foi invadida por hordas de migrantes atrás de trabalho, que vinham de todas as partes do país para a cidade que se orgulhava de ser a que mais crescia na América Latina.

A periferia inchou desordenada, especialmente em direção às zonas Leste e Sul. Vilas e bairros surgem da noite para o dia, época em que o crescimento populacional chegou a 300 mil habitantes por ano.

Pobreza, analfabetismo, falta de saneamento básico, iluminação nas ruas, escolas, serviços de assistência médica e de policiamento, bem como o aparecimento de uma legião de adolescentes sem perspectiva de acesso ao mercado de trabalho, criaram condições favoráveis para a disseminação da violência urbana em grau até então desconhecido. Chegávamos aos anos do crime despersonalizado; em vez de homens como Sete Dedos, Meneghetti ou Hiroito, surgiram os criminosos anônimos.

No final dos anos 1970, a bandidagem organizou rotas de tráfico para transportar cocaína da Colômbia e da Bolívia, os preços caíram e a droga se alastrou pela cidade.

Em 1989, quando comecei o trabalho no Carandiru, a moda era injetar cocaína na veia, forma de administração que persistiu até 1992, quando o crack chegou à periferia e invadiu as prisões, subvertendo a hierarquia e os valores éticos da criminalidade.

O lucro e a necessidade de divisão do trabalho no tráfico para otimizar linhas de transporte, distribuição, vendas e a lavagem do dinheiro estimularam a formação de quadrilhas. Com elas, vieram as guerras, as balas perdidas e as disputas territoriais que, vinte anos depois, fariam eclodir a barbárie de decapitações e os esquartejamentos de presos rivais em presídios do Norte e Nordeste do país.

A velha ordem imposta pelos marginais conhecidos por sua trajetória no crime foi desalojada para dar lugar a outra, impessoal, baseada exclusivamente nas leis do mercado, de acordo com a qual os personagens se tornaram peças descartáveis, de reposição barata. Passamos a viver a era do bandido que obedece aos superiores, corre risco de morrer mal saído da adolescência e dá à vida alheia o mesmo valor que atribuem à dele.

Violência urbana é doença contagiosa de etiologia multifatorial. Ao contrário de outras enfermidades transmissíveis que experimentaram grandes avanços científicos a partir do século passado, faltam estudos sobre suas causas e consequências. Diante da nova realidade, nosso Código Penal ficou antiquado, as novas leis são aprovadas no calor das emoções causadas por algum crime que comoveu a sociedade e chamou a atenção da imprensa, sem levarmos em consideração experiências anteriores e critérios técnicos.

Canso de escutar que a pobreza não explica a violência em nossas cidades. Citam como exemplo a Índia, país com centenas de milhões de miseráveis e níveis relativamente baixos de criminalidade. Estou de acordo, mas vale analisar outros lados dessa questão.

Talvez o único aspecto da violência urbana comprovado em estudos conduzidos com metodologia científica seja o dos fatores de risco. São três os principais:

1) Infância negligenciada. Crianças que não recebem amparo familiar, atenção ou carinho e que são maltratadas ou agredidas.

2) Falta de orientações firmes, que imponham limites ao adolescente.

3) Convivência com pares que vivem na marginalidade.

Como esses fatores estão presentes na vida de milhões de crianças e jovens dos bairros periféricos das cidades brasileiras, é de surpreender que o número de marginais entre nós não seja ainda maior.

Se, de um lado, esses estudos mostram que atribuir a criminalidade crescente dos últimos vinte anos apenas à pobreza não se justifica, por outro, sugerem que esses fatores de risco se acumulam perversamente nas camadas mais desfavorecidas.

Casas sem reboque, fiação elétrica emaranhada e criançada na rua são os primeiros sinais de que chegamos à periferia de uma cidade brasileira. Gravidez na adolescência é uma epidemia que se dissemina nas famílias de renda mais baixa. Na penitenciária, vejo meninas que deram à luz aos onze ou doze anos; ser mãe de dois ou três filhos aos 25 anos é a regra. Há as que chegam aos trinta anos com cinco ou seis, algumas das quais serão avós antes dos quarenta.

No Brasil, 21% das parturientes do SUS são adolescentes com menos de vinte anos, número que beira um terço no Norte e Nordeste.

Cada criança nascida nesse contexto empobrece a família e obriga a jovem mãe a abandonar os estudos, caminho sem volta para que ela e o filho sejam mantidos na pobreza. Em levantamento recente, o Instituto de Pesquisa Econômica Aplicada, Ipea, mostrou que 76% das meninas de dez a dezessete anos que tiveram filhos largaram a escola.

Meninas e meninos criados na ausência da figura paterna ou, pior, com pais envolvidos com o crime e a dependência de álcool e cocaína ficam sujeitos à violência doméstica, maus-tratos nas ruas, a interromper os estudos e a estupros em idade de brincar com boneca.

Juntem-se a esses fatores escolas de baixa qualidade, deficiências de moradia, do ambiente cultural, do espaço público, das relações comunitárias e a convivência com familiares e vizinhos que não estudaram, e teremos as condições que levam ao uso de drogas ilícitas, ao envolvimento com o tráfico e às cadeias.

Quando assistimos aos filmes dos gângsteres que infernizavam as cidades americanas nos tempos de Al Capone, achamos ridícula a pretensão dos legisladores daquela época de imaginar que a proibição acabaria com o álcool. Como não percebiam que a Lei Seca tinha impacto desprezível no consumo, corrompia a sociedade e estimulava o tráfico e a criminalidade?

Como não percebiam? Pelas mesmas razões que nos apegamos às leis que criminalizam o uso e o tráfico de drogas. Quanto tempo será necessário para nos convencermos de que essa legislação nos conduziu ao pior dos mundos: roubos, assassinatos, quadrilhas em disputa permanente pelas rotas de tráfico e pontos de venda, tiroteios, morte de inocentes, cracolândias, corrupção da polícia, do judiciário e do legislativo, sem impedir que as drogas cheguem às mãos dos usuários? Quanto dinheiro investido em repressão policial, construção e manutenção de presídios para resultados tão pífios?

Os ganhos proporcionados pelo tráfico são tão grandes que é impossível separá-los da violência urbana e da criminalidade. De uma forma ou de outra, por trás de roubos, assaltos, contrabando, sequestros, assassinatos e chacinas estão o uso e a comercialização de drogas ilícitas.

As leis brasileiras não são claras na distinção entre usuários e traficantes. Na prática, cabe ao policial que lavrou o flagrante e ao Ministério Público enquadrá-los numa ou noutra categoria, situação que coloca em desvantagem os mais pobres e os negros, populações que constituem a quase totalidade da massa carcerária brasileira. A falta de clareza da legislação confunde os policiais honestos e facilita as ações dos corruptos.

O encarceramento atende ao desejo generalizado de retirar das ruas os que oferecem perigo aos cidadãos e à ordem social. Apesar de ser um procedimento adotado desde a antiguidade, seus efeitos e consequências continuam mal elucidados. Teoricamente, teria duas finalidades: reintegrar à vida comunitária os transgressores da lei e puni-los pelos crimes cometidos. No Brasil, a superlotação e os índices de reincidência atestam que nossos presídios se prestam apenas à função de castigar os apenados.

Cadeias com celas habitadas por dez ou vinte pessoas são incontroláveis, ainda que vigiadas pelos melhores e mais competentes carcereiros do mundo. É humanamente impossível evitar que nelas entrem drogas e celulares e surjam lideranças e facções que arregimentem os mais jovens. Não é à toa que são chamadas de "faculdades" pela bandidagem.

Sem confiar na proteção do Estado legalmente responsável por sua segurança, o preso se junta a uma facção por três motivações principais: necessidade de sobreviver na prisão, de ascender na hierarquia do crime e de ganhar o respeito da comunidade quando regressar ao convívio social.

Muitos imaginam que bastaria uma força policial capaz de prender todos os ladrões e traficantes para acabarmos com os roubos e os usuários de droga soltos nas ruas. Os números, no entanto, contradizem essa visão.

Em 1990 havia cerca de 90 mil pessoas presas no Brasil, número que saltou para 232 mil no ano 2000 e para 622 mil em 2016. Poderíamos afirmar que esse aumento de 700% deixou nossas cidades sete vezes mais seguras?

Pelo contrário, o aprisionamento em massa que fez do Brasil o quarto do mundo em população carcerária (atrás de Estados Unidos, Rússia e China, países muito mais populosos) veio acompanhado de aumento da violência urbana e do consumo de drogas ilícitas.

Fica evidente, então, que apesar de prendermos mais não conseguimos colocar atrás das grades todos os criminosos que nos infernizam.

E o que deveríamos fazer?

Ninguém sabe. No estado de São Paulo, se descontarmos o número de pessoas libertadas do número das que são presas todos os dias, veremos que a cada mês o sistema penitenciário incorpora mais 820 pessoas em média.

Como os técnicos calculam que as prisões não devem conter mais do que setecentas a oitocentas pessoas, para que o Estado não perca o controle, seria necessário construir uma cadeia nova a cada trinta dias somente em São Paulo.

Uma vez que o total de presos no estado em janeiro de 2017 era de 232 mil, o ideal seria termos 290 cadeias, para que não ultrapassemos o limite de oitocentos presidiários em cada uma. Como o número de prisões espalhadas pelo estado é de 167, temos um déficit de cerca de 120 presídios.

Portanto, para acabar com a superlotação atual em São Paulo e receber os que ingressam no sistema penitenciário diariamente, precisaríamos construir de imediato 120 cadeias e uma unidade nova por mês.

Pelos números oficiais, para suprir o déficit de cerca de 370 mil vagas no país, seriam necessárias mais 530 penitenciárias. Quanto custaria construí-las e mantê-las? De onde viriam os recursos? Da educação, da saúde, das obras de infraestrutura?

Em 1989, quando cheguei ao Carandiru, seu Lupércio, um dos presos mais antigos da casa, fez a seguinte observação sociológica:

— Doutor, a fábrica de ladrões produz muito mais do que a polícia consegue prender. É uma guerra inglória.

Os números dão razão ao velho vendedor de maconha: no período de 2000 a 2014, o número de homens encarcerados no estado de São Paulo aumentou 220%, enquanto o de mulheres cresceu 567%.

No passado, a presença feminina no ambiente prisional ficava restrita a furtos, repentes passionais e um ou outro assalto. Participação em quadrilhas era rara. Com o crescimento das cidades e o desenvolvimento econômico das últimas décadas, esse quadro mudou, porque a estrutura familiar se tornou mais dispersa e os benefícios e direitos que as mulheres impuseram ao modelo patriarcal da sociedade brasileira não se distribuíram de forma homogênea pelas classes sociais.

A violência que aflige as comunidades da periferia acentua as desigualdades de gênero e expõe as mulheres à gravidez na adolescência, à desorganização familiar, aos estupros, às drogas ilícitas, a viver em lares sem a figura paterna, a ter que criar os filhos por conta própria e a conviver com homens que empregam métodos violentos como forma rotineira de resolução de conflitos.

Violência de gênero é flagelo que de uma forma ou outra atinge todas as mulheres brasileiras, mas o ônus se concentra de maneira desproporcional entre as mais pobres e as negras, como constatam as estatísticas. É nas áreas periféricas das cidades que o despotismo masculino exibe sua face mais brutal.

É ingenuidade imaginar a existência de um mundo do crime sem a participação feminina: bandidos convivem e se relacionam com as mulheres da família e da comunidade. Não é por acaso que entre os membros do PCC as namoradas e as mulheres casadas com os irmãos são chamadas afetuosamente de cunhadas, embora não tenham sido batizadas nem estejam ligadas formalmente ao Comando.

A maior parte das que aderem à criminalidade o faz pelo caminho do uso de drogas ilícitas, por relacionamentos afetivos com usuários, ladrões e traficantes ou como parte da estratégia para manter a família ou para fugir da violência doméstica. Na hierarquia do crime, elas ocupam a base que deve subserviência aos chefes; poucas conseguem chegar aos escalões intermediários. Como vimos, na penitenciária as irmãs do Comando têm autonomia para resolver brigas de namoradas, furtos, desentendimentos, cobrança de dívidas e outros conflitos da mesma ordem de gravidade; casos mais controversos devem ser levados à Torre, constituída por juízes homens.

Do ponto de vista econômico, o crime organizado é um capitalismo com comando centralizado, em que o topo da hierarquia é cem por cento masculino.

A submissão feminina é imposta com mão pesada, como diz uma presa:

— Quando eles vão para a cadeia, a gente tem que fazer visita íntima todo fim de semana. Se abandonar ou namorar outro, precisa de muita sorte para continuar viva. Quando é a gente que está presa...

Tenho vivido cercado de mulheres: filhas, netas, esposa, uma irmã três anos mais velha que substituiu minha mãe, uma enteada, muitas amigas, colegas de trabalho e inúmeras pacientes de quem fui médico. Sempre me interessei pelo modo de pensar e agir das mulheres, mas os últimos onze anos em contato com prisioneiras me ofereceram a chance de penetrar no universo feminino a uma profundidade que jamais imaginei alcançar.

Em mais de quarenta anos tratando doentes com câncer, aprendi que as mulheres são seres mais generosos. Na doença crônica ou com entes queridos à beira da morte, é incomparável a solidariedade feminina. Basta visitar qualquer hospital e contar o número de mulheres ou de homens que passam a madrugada ao lado de um familiar enfermo.

Na penitenciária, convivo com aquelas que a sociedade considera a escória. Não julgo seus crimes, embora me interesse saber o que as levou a cometê-los, curiosidade que me acompanha desde quando escutava *O Crime não Compensa* na rádio Record. Sou médico, não juiz, condição que me coloca em plano de observação privilegiado. Escuto histórias da infância, relatos de desencontros, paixões, vinganças, perversidades, sofrimentos e humilhações que jamais suspeitei existir fora dos livros. A todo momento me surpreendo com a riqueza e a diversidade do universo feminino.

Tive um paciente com várias passagens pelo Carandiru que dizia:

— Quando estou em liberdade, não quero saber do que acontece aqui dentro. Quando estou aqui, não recebo visita nem vejo televisão, para não saber o que se passa na rua.

Tinha vários filhos, com quatro ou cinco companheiras, e se dava o direito de ignorá-los. Mulher nenhuma consegue o mesmo distanciamento; o amor materno é visceral, arraigado ao instinto da mãe.

Os relatos das piores dores que ouvi foram os das que perderam filhos enquanto presas.

— Minha filha era uma menina exemplar, mas perdeu a cabeça depois que eu vim presa. Começou a fumar crack e foi baleada por causa de uma dívida. Morreu no hospital três dias depois, sozinha, sem a mãe do lado dela. Tinha quinze anos. Existe remorso maior?

Ao menor pretexto, as presas falam dos filhos e da mãe; ao pai se referem pouco e aos maridos, quase nunca. É comum chorarem quando lhes pergunto quantos filhos têm, com quem eles estão e se as visitam. Na saída, enxugam as lágrimas, não fica bem demonstrar fraqueza diante das companheiras.

A separação dos filhos e a solidão são os castigos mais duros.

Há anos procuro entender as razões que levam as famílias a visitar o parente preso, enquanto esquecem a irmã, a filha ou a mãe no cárcere.

Talvez porque a prisão de uma filha ou da mãe envergonhe mais do que a de um filho ou do pai, já que a expectativa da sociedade é ver as mulheres "no seu lugar", obedientes e recatadas.

O preconceito sexual faz parte desse contexto. O bandido pode ser considerado mau-caráter, desalmado, perverso, mas ninguém questiona sua vida sexual. A mulher, além dos mesmos rótulos, recebe o de libertina, ainda que virgem. Fica subentendido que se ela rouba, trafica ou assalta é sexualmente promíscua.

Dona Encarnação, filha de pernambucanos, alta, magra e de óculos emendados com esparadrapo, que começou a ser presa aos dezenove anos e aos sessenta ainda não sossegou, aponta causas econômicas e estéticas:

— Mulher tem menos dinheiro do que o homem; na cadeia, então, fica mais pobre ainda. A família se desinteressa. Aqui ela engorda e se cuida mal, perde o encanto. O homem arranja outra numa boa.

Meu companheiro de trabalho, Valdemar Gonçalves, do alto da sabedoria de 32 anos de profissão como guarda de presídio, é bem mais explícito:

— Homem é um bicho filho da puta, aventureiro do caralho. Vê uma mulher bonita, fica andando em volta igual galo velho no galinheiro.

As carências afetivas de tantas mulheres confinadas em ambiente distante dos homens e do olhar repressivo da comunidade criam condições permissivas aos relacionamentos homossexuais, adotados pela maioria absoluta. Esse fenômeno é muito mais raro nos presídios masculinos, porque aquele que se deixa penetrar vira mulher de cadeia, a quem são negados os direitos mais elementares.

José Francisco dos Santos, o seu Chiquinho, que nos últimos quarenta anos exerceu diversas funções no sistema penitenciário, entre as quais a de organizador dos shows de Rita Cadillac, Raul Gil, Alcione e de outros artistas que aliviavam as tensões no antigo Carandiru, é quem diz:

— Em cadeia de homem, bicha não pode servir boia, não pode falar grosso, desacatar nem sair no tapa com malandro. Na verdade, não pode nada.

A ausência de penetração e da exigência de demonstrar virilidade para as companheiras estabelecem relações de igualdade entre as parceiras. Libertadas da repressão social, podem dar vazão a desejos e fantasias homossexuais que jamais confessariam em liberdade.

— Descobri o tesão por mulher aqui dentro. Lá fora até me passava pela cabeça, mas eu não admitia.

Engana-se, contudo, quem acha que a homossexualidade tem origem apenas no abandono e nas frustrações sexuais. Como regra, as companheiras se consideram casadas umas com as outras e, com naturalidade, dizem frases como: "Sou casada com um sapatão", "Minha mulher tem aids, como eu faço para não pegar?", "Minha mulher foi para o semiaberto, doutor, preciso de um antidepressivo".

O casamento homossexual torna mais suportável o cumprimento da pena não só por causa dos laços afetivos, dos carinhos, das massagens nas costas e dos prazeres sexuais, mas pela parceria: repartem os mantimentos que chegam no jumbo, as comidas que a família traz, os produtos de beleza, emprestam roupas uma à outra, cuidam da que está doente, dividem as tarefas domésticas e os momentos de tristeza.

A cela com duas mulheres casadas uma com a outra é a unidade funcional dos presídios femininos a partir da qual as relações comunitárias se consolidam. Sem levar em consideração esse fenômeno, impossível fazer ideia do que se passa na cadeia.

Na ânsia de punir os que desobedecem às leis, a sociedade não se dá conta de que trancá-los atrás das grades tem seu preço. Seres humanos formam grupos com códigos de comportamento e leis próprias desde que descemos das árvores nas savanas da África, 6 milhões de anos atrás. Em situações limite como as guerras e o encarceramento, os comportamentos se repetem. Quem leu *Recordações da casa dos mortos*, de Dostoiévski, ou *A ilha*, de Tchékhov, percebe que os prisioneiros da Sibéria, na Rússia tzarista, estabeleciam relações interpessoais semelhantes às que relatei em *Estação Carandiru* e neste livro. O que levaria russos do século XIX e brasileiros de hoje a criar regras que condenam com o mesmo rigor estupradores, delatores e os que roubam companheiros, por exemplo?

A resposta é a necessidade de sobrevivência do grupo. Sejam brasileiros, sejam russos, americanos ou chineses, a adaptação ao cativeiro é regida por um código penal não escrito herdado de nossos ancestrais submetidos a situações comparáveis.

A sabedoria do Comando que impôs sua autoridade à população carcerária de São Paulo e de outros estados foi haver entendido que o anseio mais fundamental de quem está preso não é a liberdade, mas permanecer vivo. Esse entendimento levou à imposição de uma ideologia que reprimiu a violência entre os detentos.

Como se trata de uma ideologia que se propõe a assegurar o direito de não morrer na cadeia, garantia que o Estado não consegue oferecer em prisão alguma, não há necessidade de grande número de membros para implantá-la. Meia dúzia de presos transferidos para uma penitenciária qualquer é suficiente para convencer os companheiros das vantagens de aderir a ela e aceitar a autoridade do comando central. A política oficial de transferir os homens mais perigosos só facilitou a instalação do Comando no interior e em outras unidades da federação. Não fosse assim, como um preso paulista entraria em contato com maranhenses, pernambucanos ou gaúchos?

Nas ruas, o crime organizado levou a mesma estratégia às comunidades dominadas por ele. Da mesma forma que nas cadeias, é proibido atentar contra a vida de um vizinho sem autorização expressa das instâncias superiores, porque tumultos e assassinatos atraem a polícia e a imprensa e afastam a freguesia. Manter a paz comunitária é fundamental para o bom andamento dos negócios.

Apregoada pelas autoridades como resultado do sucesso das políticas de segurança introduzidas pelo governo estadual, a redução drástica do número de homicídios em São Paulo talvez não tenha explicação tão simples, uma vez que no mesmo período houve aumento do número de roubos e assaltos, crimes coibidos com mais facilidade por meio de policiamento ostensivo do que os assassinatos.

No fim dos anos 1990, na Grande São Paulo, eram cometidos mais de sessenta homicídios para cada 100 mil habitantes. A partir do ano 2000 — por coincidência quando o PCC começou a estender seus domínios às favelas e à periferia da cidade —, os assassinatos no estado diminuíram rapidamente, até a prevalência chegar a 8,7 para cada 100 mil habitantes em 2017. Dificilmente o desenvolvimento econômico, a melhora do nível educacional e o envelhecimento da população verificados nesse período provocariam tamanha queda nos índices, em prazo tão exíguo.

Uma das irmãs que comandou um dos pavilhões, presa havia doze anos, tempo que correspondia a um décimo da condenação recebida por dez assaltos, um latrocínio e dois sequestros, tinha a seguinte opinião:

— Doutor, para o bem da sociedade é mais seguro lidar com o crime organizado do que com o crime desorganizado.

Como os homens, cadeias mudam com o tempo. Fui testemunha ocular das transformações ocorridas nos últimos 28 anos. Quando comecei no Carandiru em 1989, o Brasil e eu éramos muito diferentes. O espanto, a excitação e o medo que senti nas primeiras vezes ao entrar no presídio foram gradativamente substituídos pela naturalidade associada à repetição da experiência.

Na convivência com mulheres e homens presos, assisti a assassinatos com dezenas de facadas, queimaduras com água fervente, atendi estupradores empalados, atestei óbitos de delatores enforcados, de dois rapazes decapitados e entrei em contato com assassinos, ladrões, traficantes, estelionatários e até gente honesta que havia cometido um desatino ou feito justiça com as próprias mãos. A medicina que pratiquei entre eles foi muito diferente daquela exercida num dos melhores hospitais do país.

A falta de exames laboratoriais, tomografias, ressonâncias magnéticas e demais recursos que tornaram o médico moderno tão dependente da tecnologia impôs dificuldades que fui obrigado a superar com a prática à moda antiga, baseada no exame clínico, no histórico da doença, na duração das queixas, na observação dos sinais verbais e não verbais empregados na comunicação e na identificação das sutilezas do comportamento.

A lição mais importante foi a que aprendi logo nos primeiros dias de Carandiru: medicina se faz com as mãos. Sem o contato físico com o corpo do paciente, o clínico é no máximo um técnico, não exerce a profissão em sua plenitude. Palpar e auscultar tem efeito terapêutico, capaz de tranquilizar, trazer confiança e reduzir a ansiedade que acompanha e agrava a doença.

Quando atendo alguém que entra com os olhos injetados de revolta pelas condições da cela e pela desatenção com que sua enfermidade vem sendo tratada, não me dou ao trabalho de julgar o mérito das queixas, peço para tirar a roupa e deitar na maca.

Terminado o exame físico, o olhar é outro, sem que eu tenha dito uma palavra sequer.

Tinha razão Sigmund Freud, quando disse que todos os médicos estão continuamente praticando psicoterapia, mesmo quando não têm intenção nem consciência de fazê-lo.

Seu Araújo, agente penitenciário aposentado que passou a vida no Carandiru, diz:

— A frase mais bonita que alguém pode ouvir numa cadeia é "Deus abençoe o senhor".

Não há dia de atendimento em que eu não tenha o gosto de ouvi-la. A prática atenciosa da medicina tem o dom de desarmar espíritos atormentados e evocar a gratidão naqueles a quem se destina, sejam cidadãos ordeiros ou assassinos impiedosos.

Em quase trinta anos atendendo doentes em cadeias, jamais ouvi um desaforo, uma palavra áspera, uma reivindicação mal--educada. Às vezes, fica difícil acreditar que pessoas tão respeitosas com o médico tenham cometido os crimes que constam de seus prontuários. Profissão caprichosa a medicina, capaz de criar empatia mútua entre dois estranhos em questão de minutos.

A tendência natural é a de nos aproximarmos de pessoas da mesma classe social, com gostos, ideias, posições políticas e estilos de vida semelhantes aos nossos. Embora esse formato de convivência nos traga conforto, não abre espaço para o contraditório nem dá acesso a modos de pensar e de viver radicalmente diferentes.

Impossível imaginar como eu chegaria aos 73 anos se não fosse a experiência nos presídios, mas sei que saberia menos medicina e desconheceria aspectos da alma humana aos quais só tive acesso porque me dispus a chegar perto daqueles que a sociedade tranca atrás de grades.

O fascínio infantil pelo mundo marginal que me conduziu ao Carandiru ainda persiste. Não faço esse trabalho voluntário que me toma um período da semana há tantos anos por motivações religiosas ou engajamento ideológico de qualquer natureza — sou avesso a religiões e ideologias —, mas porque posso dispor desse tempo e manter aceso o interesse pela complexidade das interações humanas, sem o qual viver perde o encanto.

1ª EDIÇÃO [2017] 4 reimpressões

ESTA OBRA FOI COMPOSTA POR ACOMTE EM MINION E
IMPRESSA PELA GEOGRÁFICA EM OFSETE SOBRE PAPEL PÓLEN DA
SUZANO S.A. PARA A EDITORA SCHWARCZ EM JUNHO DE 2024

A marca FSC® é a garantia de que a madeira utilizada na fabricação do papel deste livro provém de florestas que foram gerenciadas de maneira ambientalmente correta, socialmente justa e economicamente viável, além de outras fontes de origem controlada.